Dynamo
2
Vert

Pearson

Published by Pearson Education Limited, 80 Strand, London, WC2R ORL.

www.pearsonschoolsandfecolleges.co.uk

Text © Pearson Education Limited 2019

Developed by Justine Biddle
Edited by Melissa Weir

Designed and typeset by Kamae Design

Produced by Newgen Publishing UK
Original illustrations © Pearson Education Limited 2019
Illustrated by Beehive Illustration: Clive Goodyer, Gustavo Mazali, Martin Sanders; KJA Artists: Andy, Mark, Neal, Sean; Pete Ellis; Andrew Hennessey; Alan Rowe
Picture research by Integra
Cover photo © Getty/Johner Images, Shutterstock/Neal Cousland, Jaklana phongphuek, A_Leslik, Tala-Natali
Songs composed by Charlie Spencer of Candle Music Ltd. and performed by Christophe Hespel. Lyrics by Clive Bell and Gill Ramage.
Audio recorded by Alchemy Post (Produced by Rowan Laxton; voice artists: Alice Baleston, Caroline Crier, Amélie Destombes Feuillen, Matis Hulett, Christine Le Corre, Félix Mitchell, Tobias Stewart, Albane Tanqueray, Clotilde Tanqueray, Jean-Baptiste Fillon)
The rights of Clive Bell and Gill Ramage to be identified as authors of this work have been asserted by them in accordance with the Copyright, Designs and Patents Act 1988.

First published 2019

22 21 20
10 9 8 7 6 5 4 3 2

British Library Cataloguing in Publication Data
A catalogue record for this book is available from the British Library

ISBN 978 1 292 24879 0

Printed in Slovakia by Neografia

Acknowledgements
We would like to thank Aisha Ameer Meea and her students in Mauritius, Dru Beckles, Florence Bonneau, Nicolas Chapouthier, Barbara Cooper, Sylvie Fauvel, Anne French, Anne Guerniou, Isabelle Hitchens, Nicola Lester, Chris Lillington, Aaron McKenzie, Pete Milwright, Isabelle Porcon and Lisa Probert for their invaluable help in the development of this course.

The publisher acknowledges the use of the following material:

Text
23 Flammarion: Fort, Paul 'La Mer' in Les Ballades Françaises (1927) © Editions Flammarion (1982); **23 Flammarion:** English translation of Fort, Paul 'La Mer' in Les Ballades Françaises (1927) © Editions Flammarion (1982); **45 Île de La Réunion Tourisme:** Adapted from Noël et jour de l'An à La Réunion, Sous les tropiques, Instants magiques et gourmands, L'île de La Réunion. https://www.reunion.fr/decouvrir/culture/immersion-culturelle/des-evenements-culturels-incontournables/noel-et-jour-de-l-an-a-la-reunion. Accessed: 21 June 2019. © Île de La Réunion Tourisme. Used with Permission; **70 Bayard Presse:** Delerm, Phillippe, C'est toujours bien, © 2001, Bayard Presse, ISBN: 9782745902160; **118 City Editions:** Lindecker, Jacques., En route pour la gloire! Volume 1 of Gagne! (2016), Volume 1 of 'L'école des champions', © 2016, published by City Editions, ISBN: 9782266265379.

Photographs
(Key: t-top; b-bottom; c-centre; l-left; r-right; tl-top left; tr-top right; bl-bottom left; br-bottom right; cr-centre right; cl-centre left; tc-top centre; bc-bottom centre; m-middle)

123RF: Natalya Sidorova 06BL, Laszlo Konya 06BM1, Rimma Zaytseva 12BL, Wasin Tangboriboonsuk 14MR, Coward_lion 16TR2, Cottafoto 23T, HONGQI ZHANG 25, Gasparij 28bc, Satina 29c2, Christian Mueller 37, Sergii Koval 38r, Jean-Paul Chassenet 39cr, Elena Shashkina 39br, Volha kavalenkava 40br, Sergii Koval 40cl, Jetsam86 40cr, Andreas Metz 41cl, Georgerudy 69, Fazon 76bl, Pauliene Wessel 77tl, Jakub Gojda 77tc(a), Plotnikov77cr, Alexey Serebrennikov 77bl, Lauradibiase 80tl, Janos Gaspar 80tc, Achim Pril 80tr, Dolgachov 106tr, Dziewul 131tc, Eduard Kyslynskyy 131tr, Byrdyak 131c, Birdiegal 131bl, Donyanedomam 131br; **Alamy Stock Photo:** The Print Collector 7mr, Art Collection 3 7br2, BRUSINI Aurélien/Hemis 8mm, Melnais.Stockimo 8ml, Migstock 10mm2, Paul Greaves 10ml, Christopher Stewart 12tm, Kobryn Andrii 12bm2, Claude thibault 14bm, Jurgita Vaicikeviciene 14bl, Blend Images 16mr1, Mick Baines & Maren Reichelt/Robertharding 17mr2, Grant Rooney 17br1, Ezoom 17br2, John Mitchell 29l, Shaun Higson/London 32b, Marcin Libera/Alamy Live News 33t, Grant Rooney Premium 33bl, Paparazzi by Appointment 33bc, Pjworldtour 33br, Illia Girnyk 34, Christian Goupi/Age footstock 40tr, Rieger Bertrand/Hemis 40bl, Elena de las Heras 40tl, NASA Photo 46tr, A7A collection/Photo 12 53tc(a); Dpa/Dpa picture alliance 55tc(b),71,83br, Greatstock Photo 61tl, Steve Prezant 62tl,Shaun A Daley 77cl, Clement Philippe/Arterra Picture Library 78bl, Dmytro Lastovych 78bc, Liam Norris/Cultura RM 78br, Betty Johnson/Dbiimages 81, Marmaduke St. John 82tl, Myrleen Pearson 82tc, 82br, Hugh Threlfall 82cl, Boutet Jean-Pierre/Oredia 82cr, Wild Images 85c, Ron Sumners 85bc, Jan Greune/Look 88tr, Sinibomb Images 92, Actionplus/Action Plus Sports Images 101cl, Juergen Hasenkopf 101cr, Terry Mathews 106cr, Phovoi R/Panther Media GmbH 106bl(b), Tom carter/Alamy Stock Photo 109cr, Anatoliy Cherkasov 109br, IS866/Image Source Plus 117bl; **ASTERIX®- OBELIX®- IDEFIX® / © 2018 LES EDITIONS ALBERT RENE / GOSCINNY – UDERZO** 14t,14ml, 14mm, 14bl; **Bridgeman Images:** Delaunay, Robert (1885-1941) / Solomon R. Guggenheim Museum, New York, USA / Mondadori Portfolio/Walter Mori 94cr; Monet, Claude (1840-1926)/Private Collection/Photo © Christie's Images 95tr; **Éditions Albert René:** Asterix®- Obelix®- Idefix®/© 2018 Les Editions Albert Rene/Goscinny – Uderzo 101bl; **Fremantle Media Limited:** Nouvelle Star/M6/Benjamindecoin/Fremantle 52tl; **Métropole Télévision Groupe:** La France a un incroyable talent/M6/DA/Fremantle 52tr, Le meilleur pâtissier/M6/BenjaminDECOIN 52cl, Moundir & les apprentis aventuriers/W9/Guillaumemirand/ Fanchdrougard 52cr; **National Federation of French Cinemas:** Poster created by Antoine Musset © The Cinema Festival 2018 - National Federation of French Cinemas / Premium Events 52br; **Pearson Education Ltd:** Miguel Domingues Muñoz 16mr2, Coleman Yuen 16bm, Jules Selmes 17t, 39tl, 39tr, 68tr, 116, Image Source 68tl, Sophie Bluy 73, Jon Barlow 128; **Getty Images:** Image Source 8ml, Purestock 20tr1, Jeff Kravitz/FilmMagic 53tc(b);Nick David/Digital Vision 53br, Purestock 56, Godong/Universal Images Group 57, Isitsharp/E+ 60tr, Yann Arthus-Bertrand 85tl, Chasing Light - Photography by James Stone james-stone.com/Moment 85tr, Hinterhaus Productions/Taxi 93, Photo Josse/Leemage/Corbis Historical 94tr, FatCamera/E+/GettyImages 102, 112bc, Microgen/iStock 112cr, Steve Debenport/E+ 118; **Kate Mackinnon:** 38l, **Library of congress:** LIBRARY OF CONGRESS Prints and Digital Photographs [LC-USZ62-107354] 7br1; **Lucy Loveluck:** 127t; **Newscom:** Loona/Abaca 10bl, SW Productions/Photodisc 12tl1; **Shutterstock:** Kaca Skokanova 6bm2, Fedor Selivanov 6br, Samuel Borges Photography 8tl, Karen Grigoryan 8tr, S-F 10tm, Hector Christiaen 10tl, Cge2010 10tr, ANImages 10ml, Ricochet64 10mm1, Pajtica 12bm1, Oscity 12br, Iko 15t, Kucher Serhii 16tl1, Alexander Dashewsky 16tl2, The Visual Explorer 16tr1, Dotshock 16ml1, Blend Images 16ml2, Dushlik 16bl1, Gertjan Hooijer 16bl2, Sailorr 16br1, CapturePB 16br2, K. Jensen 17mr1, Fabio Principe 20tr2, Valentyn Volkov 23bm, Inga Nielsen 23Bbr, Elena Dijour 28tl, Azami Adiputera 28tc, P-Kheawtasang 28tr, Carlos E. Santa Maria 28bl, DreamSlamStudio 28br, Salvador Aznar 29c1, Maudanros 29r, Alexander Demyanenko 32t, Alexander Sherstobitov 38c, BMProductions 39cl, Ann Worthy 39bl, Dani Vincek 41tr, LuisFtas 45tr, Jakez 45br, 70sphotography 46cr, Carlos Villalba R/EPA 46br, Christian Bertrand 47tl, Giancarlo Liguori 47tc, Franck Robichon/EPA-EFE 47tr, Jamie Rogers 127b, 83tr, Ian Langsdon/EPA 53tl, Startraks 53tr, Cyril Pecquenard 55tl, Featureflash Photo Agency 55tc(a),55tc(c),55tr, Daxiao Productions 60tl, Iakov Filimonov 61bl, Sergey Novikov 62br, Kiev.Victor 63tr, Allensima 63cr, Phovoir 65, Jia Wangkun 76bc, Thomas Brissiaud 76br, Taniavolobueva 77tc(b), JHVEPhoto 77tr, Duchy 77br,Songquan Deng 79tl, Nowaczyk 79tr, Adam Jan Figel 82tr, Denizo71 82c, Siamionau pavel 82bl, Nadezhda Bolotina 83cr, Travelview 87, Naeblys 88tl, Samuel Borges Photography 88tc, Radu Bercan 88cl, Rawpixel.com 88c, Kemal Taner 88cr, Stephane lalevee 89c, Soundsnaps 89cr, Alexey Fedorenko 89br, S-F 95cl, Eric L Tollstam 95c, Sergey Kelin 95cr, Oksana Ph 95bl, Mitch Gunn 95bc, Tony Moran 95, DarioZg 100, Kieran Mcmanus/BPI 101tc, Colorsport 101tr, Filipe Frazao 103cl, DGLimages 103c, Tracy Whiteside 103cr, PhotoSky 106cl, Jeep2499 106bl(a), Allen.G 106br(a), V_E 106br(b), Aflo 109tr, Oleksandr Osipov 109cl, Roland Hoskins/Associated Newspapers 111, Fotokostic 112tr, Georgia Evans 113, Muzsy 117tr, Africa Studio 129tr, JJ pixs 129cr, Isantilli 130cr, Julie Deshaies 130br, Tyler Olson 132; **© Societé du Parc du Futurescope** 15ml, 15mr, 15b.

All other images © Pearson Education

Websites
Pearson Education Limited is not responsible for the content of any external internet sites. It is essential for tutors to preview each website before using it in class so as to ensure that the URL is still accurate, relevant and appropriate. We suggest that tutors bookmark useful websites and consider enabling students to access them through the school/college intranet.

Note from the publisher
Pearson has robust editorial processes, including answer and fact checks, to ensure the accuracy of the content in this publication, and every effort is made to ensure this publication is free of errors. We are, however, only human, and occasionally errors do occur. Pearson is not liable for any misunderstandings that arise as a result of errors in this publication, but it is our priority to ensure that the content is accurate. If you spot an error, please do contact us at resourcescorrections@pearson.com so we can make sure it is corrected.

Table des matières

Module 1 *Vive les vacances!*

Module 2 *J'adore les fêtes!*

Table des matières

Module 3 *À loisir*

Module 4 *Le monde est petit*

Module 5 *Le sport en direct*

Module 1 Vive les vacances!

1 Complète le diagramme. Utilise les mots de la case.

avril février
novembre juin août

The French school year is split into five terms, with a total of 16 weeks of holiday:

Vacances de la Toussaint:
2 semaines (octobre–novembre)

Vacances de Noël:
2 semaines (décembre–janvier)

Vacances d'hiver:
2 semaines (février ou mars)

Vacances de printemps:
2 semaines (avril ou mai)

Grandes vacances:
8 semaines (juillet–août)

2 C'est quelle destination de vacances francophone?

1 un pays alpin en Europe
2 un pays chaud en Afrique
3 un groupe de petites îles à l'est de l'Australie
4 une île tropicale où on fête Mardi gras avec un grand carnaval

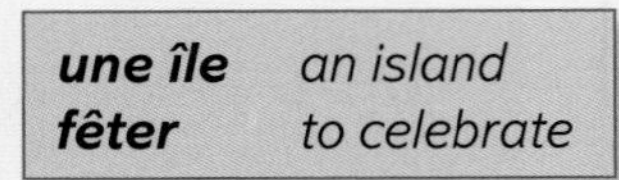

une île *an island*
fêter *to celebrate*

a

la Tunisie

b

Vanuatu

c

la Guadeloupe

d

la Suisse

Regarde l'infographie. Copie et complète le tableau.

Les activités en vacances

Quand il fait beau, les Français aiment ...

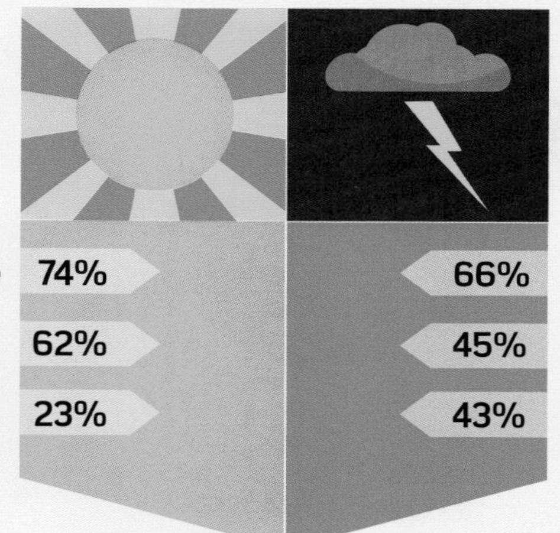

Quand il fait mauvais, les Français aiment ...

Quand il fait beau		Quand il fait mauvais	
faire une balade	74%	66%	visiter des monuments
aller à la plage	62%	45%	manger au restaurant
faire du sport	23%	43%	rester à l'hôtel

☀		☁		
a 62%	b	c	d	e

4 C'est quelle personne francophone?

Des voyages extraordinaires!

1 la première femme franco-canadienne à bord de la Station spatiale internationale
2 l'auteur du livre *Le tour du monde en 80 jours* (*Around the world in eighty days*)
3 le premier homme à traverser la Manche en avion

premier/première	*first*
traverser la Manche	*to cross the English Channel*

a

Jules Verne, écrivain (1828–1905)

b

Julie Payette, astronaute (1963–)

c

Louis Blériot, aviateur (1872–1936)

Point de départ

- Talking about school holidays
- Using the verbs *avoir* and *être*

Listen and read the texts. Correct the mistake in each English sentence below. Read each text one more time. Why do they have the holidays they mention?

1 Anaïs (France)

J'ai huit semaines de vacances en juillet et en août. C'est pour les grandes vacances!

2 Alex (Québec)

J'ai une semaine de vacances en mars. C'est pour le ski et le snowboard!

3 Farid (Tunisie)

J'ai trois jours de vacances en septembre. C'est pour une fête musulmane!

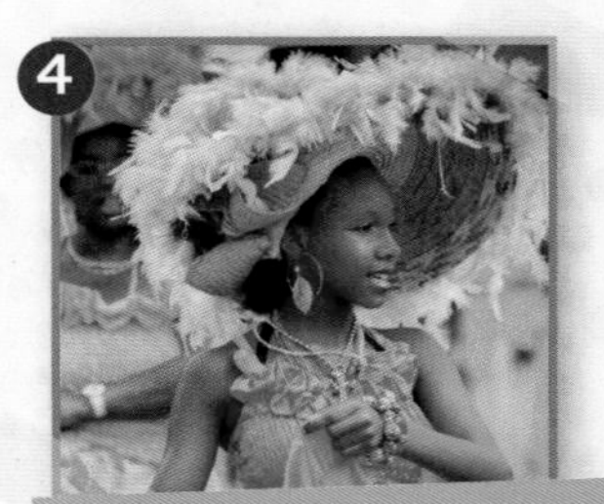

4 Louane (Guadeloupe)

J'ai deux semaines de vacances en février. C'est pour le Carnaval!

5 Marie et Nina (Vanuatu)

Nous avons huit semaines pour les grandes vacances en décembre et en janvier. C'est l'été ici!

une fête musulmane *a Muslim festival*
ici *here*

1. **Anaïs** has six weeks' holiday in July and August.
2. **Alex** has one week's holiday in May.
3. **Farid** has three weeks' holiday in September.
4. **Louane** has two weeks' holiday in January.
5. **Marie** and **Nina** have eight weeks' holiday in December and January. It's winter there.

G

The verb ***avoir*** (to have) is an important irregular verb. You will need to use it a lot in this module!

Remember, the part of the verb changes depending on who you are talking about (I, you, he/she, we, etc.).

*j'**ai***	I have
*tu **as***	you (singular) have
*il/elle/on **a***	he/she has / we have
*nous **avons***	we have
*vous **avez***	you (plural or polite) have
*ils/elles **ont***	they have

Écoute. Copie et complète le tableau. (1–5)

	how many weeks' holiday?	when?	any other details?
1			

Noël *Christmas*
Pâques *Easter*

En tandem. Ton/Ta camarade joue le rôle d'un(e) ami(e) français(e). Fais une conversation.

- *Tu as combien de semaines de vacances?*
- *J'ai huit semaines de vacances en juillet et en août. C'est pour les grandes vacances. Et toi?*

J'ai	une semaine deux semaines six semaines dix jours (etc.)	de vacances	en	janvier février mars (etc.)
C'est pour	Noël. Pâques. les grandes vacances.			

Écoute et lis. Traduis en anglais les phrases en gras. Pour t'aider, utilise les images.
Listen and read. Translate the phrases in bold into English, using the pictures to help you.

Tu es où en vacances?

1 Je suis **au bord de la mer**. C'est **très amusant**.

2 Je suis **à la montagne**. C'est **assez intéressant**.

3 Je suis **à la campagne**. C'est **un peu ennuyeux**.

4 Je suis **chez mes grands-parents**. C'est **très sympa**.

5 Je suis **en colonie de vacances**. C'est **complètement nul**!

Use these qualifiers, with adjectives, to give fuller answers in your speaking and writing:

un peu — assez — très — complètement

The verb *être* (to be) is another important irregular verb. Learn it by heart!

je **suis**	I am
tu **es**	you (singular) are
il/elle/on **est**	he/she is / we are
nous **sommes**	we are
vous **êtes**	you (plural or polite) are
ils/elles **sont**	they are

Écoute et note en anglais (1–5):

a location
b opinion and qualifier.

The letter ***s*** at the end of a word is normally silent.

But when the next word begins with a vowel, you pronounce the final ***s***.

It sounds a bit like ***z***.

Read the following out loud, then listen and check your pronunciation.

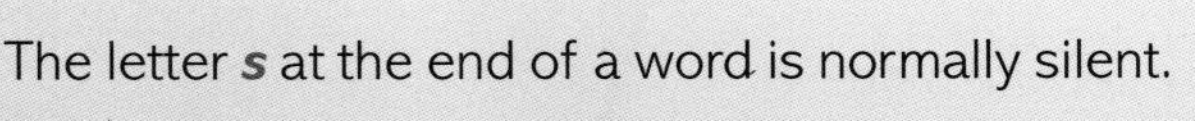

Je suis en vacances. Je suis à la montagne. C'est très intéressant.

Les enfants sont au bord de la mer.

Imagine que tu es en vacances! Écris deux messages. Utilise les images.

Salut! J'ai <u>une semaine</u> de vacances <u>en mai</u>.

Je suis en vacances <u>à la campagne</u>.

C'est <u>assez amusant</u>.

Et toi? Tu es où en vacances?

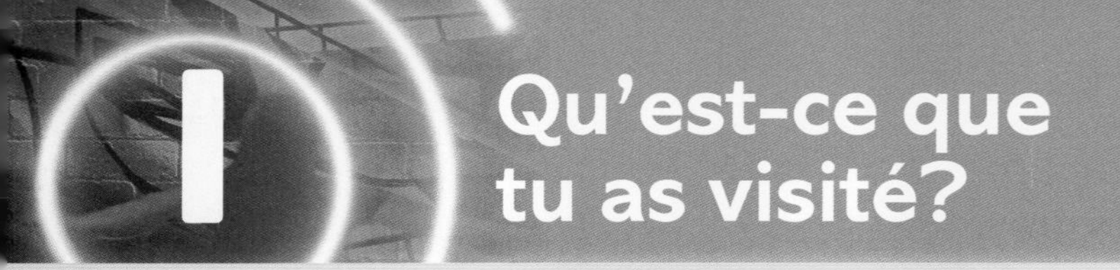

1 Qu'est-ce que tu as visité?

- Saying what you visited and what it was like
- Using the perfect tense of *visiter*

1 Écouter. Écoute. Qu'est-ce que chaque personne a visité à Genève? Écris les bonnes lettres. (1–6)

Qu'est-ce que tu as visité à Genève?

J'ai visité …

Genève, en Suisse

a la cathédrale

b le lac

c le château

d le stade

e le musée

f le parc

g la chocolaterie

h la mosquée

The perfect tense is a past tense. Use it to say what you did or have done.

To form the perfect tense of most verbs, you need three things:

1 a subject pronoun (*je, tu, il,* etc.)

2 part of the verb ***avoir*** (to have)

3 a past participle (e.g. ***visité***).

To form the **past participle** of regular *–er* verbs, take the *–er* ending off the **infinitive** and replace it with *–é*.

visiter ➡ ***visité***

1	2	3	
j'	***ai***	***visité***	I visited
tu	***as***	***visité***	you (singular) visited
il/elle	***a***	***visité***	he/she visited
on	***a***	***visité***	we visited

Page 24

Geneva, the second biggest city in Switzerland, is situated on Lake Geneva and is surrounded by mountains. The official language is French, but German and Italian are also spoken. One of the most famous Swiss exports is chocolate.

2 Parler. En tandem. Fais un jeu de mémoire.

- *J'ai visité le parc.*
- *J'ai visité le parc et la cathédrale.*
- *J'ai visité le parc, la cathédrale et …*

Pronounce *–ai* and *–é* as short sounds (not long like 'ay' in English).

 *maison*  *j'ai*

 *vélo*  *visité*

Repeat five times: *J'ai visité le musée et j'ai visité la mosquée.*

Écoute et lis le texte. Écris la lettre des mots qui manquent. Utilise les lettres de l'exercice 1.

Ma visite à Genève

D'abord, j'ai visité le **1** avec le jet d'eau. Ensuite, j'ai visité le **2** d'Art et d'Histoire. Puis j'ai visité la **3** parce que j'adore le chocolat! Après, j'ai visité la **4** Saint-Pierre. Finalement, j'ai visité le **5** de Chillon. **Lucile**

d'abord	*first of all*
ensuite	*next*
puis	*then*
après	*afterwards*
finalement	*last of all*

Lis le blog et réponds aux questions en anglais.

célèbre *famous*

Les vacances de Thomas Touristique

Pendant les vacances, j'ai visité la ville de Genève, en Suisse. D'abord, j'ai visité le lac avec le célèbre jet d'eau et c'était génial!

Ensuite, j'ai visité la cathédrale Saint-Pierre, mais c'était un peu ennuyeux.

Puis j'ai visité deux musées. J'ai adoré le musée d'Histoire naturelle parce que c'était très intéressant, mais j'ai détesté le musée d'Art moderne – c'était complètement nul!

Après, j'ai visité le Parc aux animaux où il y a un petit zoo et c'était assez sympa. Finalement j'ai visité le Globe de la science et de l'innovation – c'était très moderne et très cool!

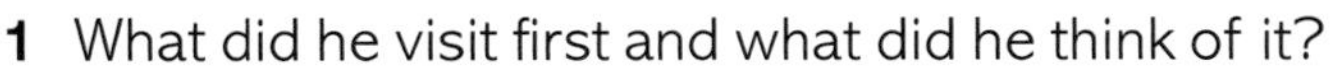

1 What did he visit first and what did he think of it?
2 What did he think was a bit boring?
3 Why did he love the natural history museum?
4 What did he think of the museum of modern art?
5 What did he think was quite nice?
6 What did he think of the Globe of Science and Innovation?

*C'**est** …*	It **is** …
*C'**était** …*	It **was** …
C'était comment?	What was it like?

C'était …

amusant cool ennuyeux génial intéressant sympa nul

Écoute. Copie les mots et prends des notes en français. (1–5)

Exemple: **1** D'abord: cathédrale, très intéressant

1 D'abord … **2** Ensuite … **3** Puis … **4** Après … **5** Finalement …

En tandem. Imagine que tu as visité Genève. Fais un dialogue.

- *Qu'est-ce que tu as visité à Genève?*
- *D'abord, j'ai visité le stade.*
- *C'était comment?*
- *C'était assez amusant.*
- *Et ensuite?*
- *Ensuite, …*

Tu as visité Genève. Copie et complète le message de la case à droite.

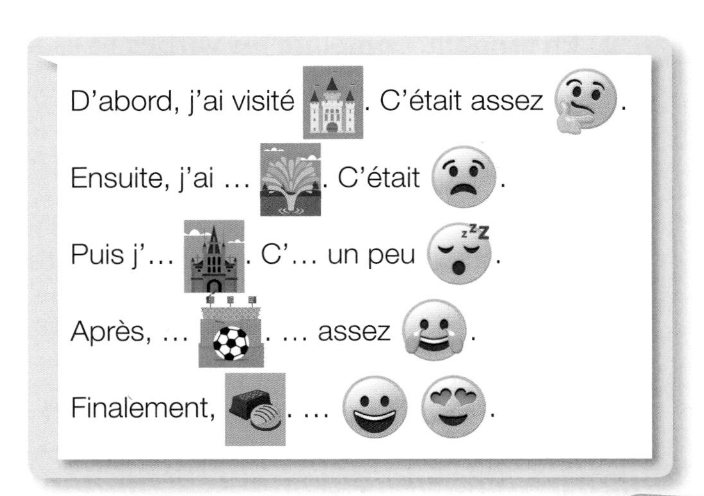

Qu'est-ce que tu as fait pendant les vacances?

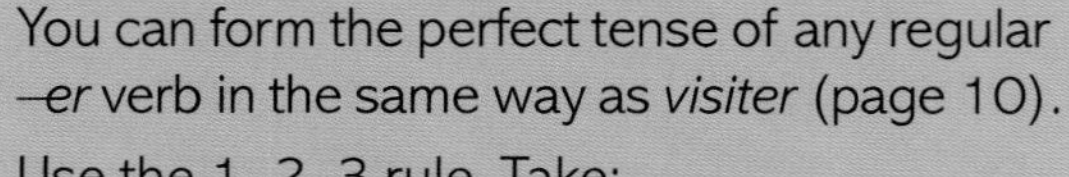

Écoute et lis. Associe les phrases et les photos.

Pendant les vacances …

1 **j'ai joué** au tennis.

2 **j'ai mangé** des glaces.

3 **j'ai écouté** de la musique.

4 **j'ai acheté** des baskets.

5 **j'ai regardé** des clips vidéo.

6 **j'ai nagé** dans la mer.

You can form the perfect tense of any regular *–er* verb in the same way as *visiter* (page 10).

Use the 1–2–3 rule. Take:

1 a subject pronoun (*je, tu, il, nous*, etc.)

2 part of the verb ***avoir***

3 a **past participle** (the infinitive with *–er* replaced by *–é*).

1	2	3	
j'	***ai***	***acheté***	I bought
tu	***as***	***acheté***	you (singular) bought
il/elle/on	***a***	***acheté***	he/she / we bought
nous	***avons***	***acheté***	we bought
vous	***avez***	***acheté***	you (plural or polite) bought
ils/elles	***ont***	***acheté***	they bought

Page 24

a

b

c

d

e

f

En tandem. Complète les verbes et lis les phrases à haute voix.

1 ______ ai nagé dans la mer. (*I swam in the sea.*)
2 J' ______ mangé des glaces. (*I ate ice creams.*)
3 J'ai ______ au tennis. (*I played tennis.*)
4 Tu ______ regardé des clips vidéo. (*You watched video clips.*)
5 Elle a ______ des baskets. (*She bought some trainers.*)
6 Nous ______ écouté de la musique. (*We listened to music.*)

Use the 1–2–3 rule to complete the verbs in exercise 2.

What's missing? The subject pronoun, part of *avoir* or the past participle?

Remember to pronounce ***–ai*** and ***–é*** as short sounds (see page 10).

J'ai is pronounced as a single word.

Écoute et note en anglais les deux activités pour chaque personne. (1–4)

Qu'est-ce que tu as fait pendant les vacances?

4 En tandem. Fais une conversation. Utilise les images.

- *Qu'est-ce que tu as fait pendant les vacances?*
- *J'ai joué au tennis, j'ai acheté un tee-shirt et j'ai écouté de la musique. C'était très sympa. Et toi? Qu'est-ce que tu as fait?*
- *J'ai …*

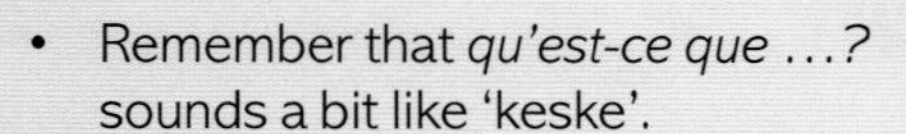

- Remember that *qu'est-ce que …?* sounds a bit like 'keske'.
- You may need to adapt some of the phrases from exercise 1. Can you remember how to say 'football' and 'pizza' in French?

a 

b 

c 

5 Écoute et lis le rap. Trouve et traduis en anglais les huit verbes en *–er* au passé composé.

Listen to and read the rap. Find and translate into English the eight different –er verbs in the perfect tense.

La première semaine des vacances

Le lundi, j'ai retrouvé Jean-Marc. On a joué au football dans le parc.

Le mardi, j'ai retrouvé Marine. On a nagé dans la piscine.

Le mercredi, j'ai retrouvé Chloé. On a regardé un film à la télé.

Le jeudi, j'ai retrouvé William. On a mangé des pizzas, miam-miam!

Le vendredi, j'ai retrouvé Léo. On a joué à des jeux vidéo.

Le samedi, j'ai retrouvé Lucile. On a acheté des BD en ville.

Mais j'ai passé le dimanche sans amis. J'ai traîné au lit et j'ai dormi!

passer	*to spend*
sans	*without*
traîner au lit	*to hang around in bed*

The subject pronoun *on* can be used to mean 'we'. It takes the same form of the verb as *il* and *elle*.

***On** a joué au football.* **We** played football.

6 Tu es une célébrité. Décris ta semaine de vacances.

- Write a sentence for each day of the week.
- Describe which famous friends you met up with: *Le lundi, j'ai retrouvé …*
- Say what you did together: *On a …*
- Don't forget the acute accent (*–é*) on past participles.
- Include opinions using *c'était …*

Le lundi, j'ai retrouvé Ryan Gosling. On a nagé dans la mer. C'était très amusant.

Le mardi, … Le mercredi, …

3 Qu'est-ce que tu as fait?

- Understanding the perfect tense of irregular verbs
- Listening and reading for negatives in the perfect tense

1 Écoute. Note les <u>deux</u> bonnes lettres pour chaque personne. (1–3)

Qu'est-ce que tu as fait au Parc Astérix?

Une visite au Parc Astérix

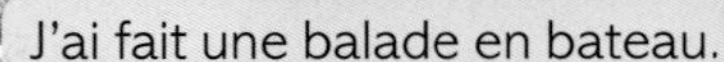

a J'ai fait une balade en bateau.

b J'ai fait les manèges.

c J'ai bu un coca.

d J'ai vu mes personnages préférés.

e J'ai vu un spectacle.

f J'ai pris des photos.

2 Listen and note down (1–5):

- the sequencing word used, e.g. *d'abord*
- the correct letter(s) from exercise 1.

Exemple: **1** après, e

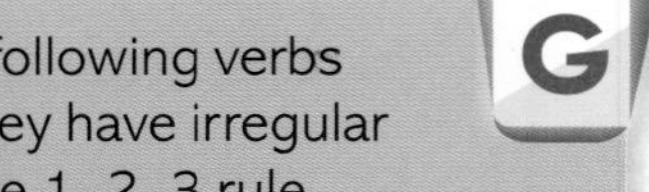

Not all verbs are regular *–er* verbs. The following verbs are irregular and in the perfect tense, they have irregular **past participles**. But they still follow the 1–2–3 rule.

		1	2	3
boire (to drink)	➡	j'	***ai***	***bu*** (I drank / I have drunk)
voir (to see)	➡	j'	***ai***	***vu*** (I saw / I have seen)
faire (to do / make)*	➡	j'	***ai***	***fait*** (I did / I have done)
prendre (to take)	➡	j'	***ai***	***pris*** (I took / I have taken)

* ***faire*** can have other meanings. It often means 'to go', or 'to go on'.

J'ai fait les manèges. I went on the rides (literally: I did the rides).

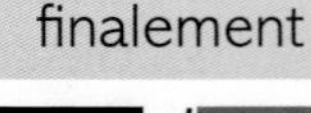
Page 25

3 En tandem. Tu as visité le Parc Astérix. Fais une conversation. Chaque fois, choisis une image.

- *Qu'est-ce que tu as fait au Parc Astérix?*
- *D'abord, j'ai <u>bu un coca</u>. Ensuite, <u>j'ai pris des photos</u>. Puis …*

d'abord	ensuite	puis	après	finalement

4 Écoute. Écris la bonne lettre. Puis traduis les phrases en anglais. (1–6)

- **a** Je **n**'ai **pas** fait les manèges.
- **b** Je **n**'ai **pas** pris de photos.
- **c** Je **n**'ai **pas** bu de coca.
- **d** Je **n**'ai **pas** mangé de glaces.
- **e** Je **n**'ai **pas** acheté de souvenirs.
- **f** Je **n**'ai **pas** vu mes personnages préférés.

G

To make a perfect tense verb negative, put ***ne … pas*** around the part of *avoir.*

Remember that *ne* shortens to *n'* in front of a vowel.

*Je **n**'ai **pas** visité le parc d'attractions.*
I didn't visit the theme park.

After a negative, ***un, une*** and ***des*** become ***de***:

*Je n'ai pas vu **de** spectacle.*
I didn't see a show.

Page 25

5 Lis le texte. Identifie les trois phrases fausses en anglais.

futuroscope

Pendant les vacances, j'ai visité le parc d'attractions Futuroscope avec ma famille.

D'abord, j'ai fait tous les manèges. C'était très amusant!

Ensuite, j'ai bu une limonade au café, mais je n'ai pas mangé de sandwich.

Après, j'ai vu un spectacle extraordinaire, et j'ai pris beaucoup de photos. C'était super! Je n'ai pas fait de balade en bateau parce que c'était ennuyeux.

Finalement, je n'ai pas acheté de tee-shirt, mais j'ai acheté un bracelet pour ma sœur.

Omar

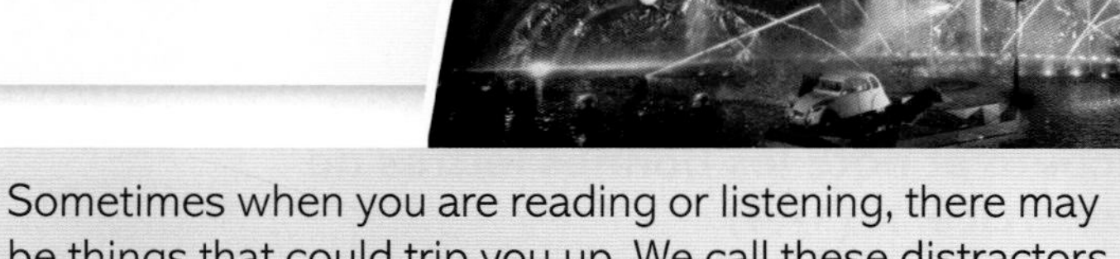

Omar …

1. went on all the rides.
2. drank lemonade.
3. ate a sandwich.
4. saw a show.
5. took lots of photos.
6. went on a boat ride.
7. bought a tee-shirt.

Sometimes when you are reading or listening, there may be things that could trip you up. We call these distractors. Remembering **TRAPS** will help you deal with them.

T = **T**ense / **T**ime frame

R = **R**eflect, don't **R**ush

A = **A**lternative words / synonyms

P = **P**ositive or negative?

S = **S**ubject (person involved)

In exercises 5 and 6, the **P** is important. You need to spot whether the verbs are in the positive or negative form. Listen or look for ***n'… pas*** to help you spot the negatives.

6 Écoute et note en anglais:

- **a** four things he did at the theme park
- **b** two things he didn't do.

7 Décris une visite (réelle ou imaginaire) à un parc d'attractions.

Mention:

- at least three things you did
- at least two things you didn't do.

Pendant les vacances, j'ai visité … D'abord, …
Ensuite, … Puis … C'était … Je n'ai pas …

Tu es allé(e) où?

- Taking part in an interview about a special holiday
- Using the perfect tense of *aller* (to go)

1 Read and check your understanding of the phrases below. How do you pronounce the underlined words?

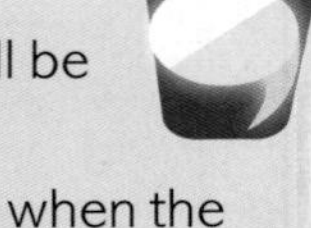

- Cognates that look similar to English words will be pronounced differently.
- Remember to pronounce the final **–s** in a word when the next word begins with a vowel. This is called liaison.

2 Écoute et note les bonnes lettres de l'exercice 1. (1–4)

3 En tandem. Fais deux conversations. Utilise les idées des cases. Puis invente une troisième conversation.

- *Tu es allé(e) où en vacances?*
- *Je suis allé(e) en France.*
- *Avec qui?*
- *Avec …*
- *Tu as voyagé comment?*
- *J'ai voyagé en train et …*

Some verbs, such as *aller* (to go), use ***être*** (not *avoir*) to form the perfect tense.

They still follow the 1–2–3 rule:

1	2	3	
Je	***suis***	***allé*** *en Espagne.*	I went to Spain.
Il	***est***	***allé*** *au Maroc.*	He went to Morocco.

The **past participle** of these verbs must agree with the subject. Add an extra **–e** if the subject is **feminine**.

The extra **–e** is silent, but important when you are writing.

1	2	3	
Je	***suis***	***allée*** *en France.*	I went to France.
Elle	***est***	***allée*** *aux États-Unis.*	She went to the USA.

Page 25

Écoute et lis. Réponds aux questions en anglais.

Mes vacances géniales!

– Antoine, tu es allé où en vacances?
■ J'ai gagné un concours et je suis allé au Maroc!
– Tu es allé au Maroc avec qui?
■ Avec mes parents, mon frère et ma sœur.
– Tu as voyagé comment?
■ Nous avons voyagé en avion et en car.
– Qu'est-ce que tu as fait?
■ D'abord, j'ai nagé dans la mer et j'ai fait de la plongée sous-marine. C'était très amusant.
– Qu'est-ce que tu as fait ensuite?
■ Ensuite, j'ai fait une balade en bateau et j'ai vu des dauphins! C'était génial!
– Qu'est-ce que tu as fait après?
■ Après, j'ai visité le marché traditionnel. J'ai acheté des souvenirs, puis j'ai pris beaucoup de photos. C'était assez intéressant.
– Qu'est-ce que tu as mangé?
■ J'ai mangé du couscous au restaurant. C'était délicieux!
– Merci, Antoine.

gagner un concours	*to win a competition*
la plongée sous-marine	*scuba diving*

1 Why did Antoine go to Morocco?
2 How many people did he go with?
3 How did they travel?
4 What two things did he do first?
5 What did he see on the boat ride?
6 Name two things he did at the market.
7 What did he eat and what did he think of it?

Relis l'interview et trouve dans le texte:

a four regular *–er* verbs with *avoir* in the perfect tense (e.g. *j'ai visité*)
b three irregular verbs with *avoir* in the perfect tense (e.g. *j'ai fait*)
c three sequencers (e.g. *d'abord*)
d four opinions (e.g. *c'était génial!*).

G

Saying 'to', or 'in' with countries:

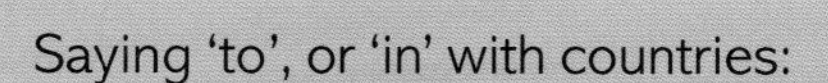
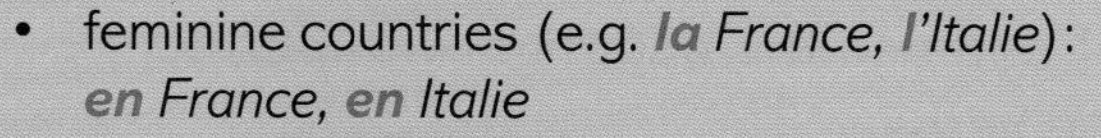

- feminine countries (e.g. *la France, l'Italie*): *en France, en Italie*
- masculine countries (e.g. *le Canada*): *au Canada*
- plural countries (e.g. ***les** États-Unis*): ***aux** États-Unis*
- islands (e.g. *Vanuatu*): ***à** Vanuatu*

Écoute. Chloé parle des vacances. Copie et complète le tableau en anglais.

where?		**next …**	
who with?		**afterwards …**	
transport?		**ate …**	
first of all …			

une casquette *a cap*

En tandem. Tu as gagné un concours de vacances! Prépare des notes, puis fais une interview. Utilise les questions de l'exercice 4 et change les détails soulignés.

Make sure you form the perfect tense correctly:

- Do you need *avoir* or *être*?
- Is the past participle regular or irregular?
- Remember the 1–2–3 rule!

Can you add a negative in the perfect tense?

Bilan

P

I can …

- talk about school holidays .... *J'ai six semaines de vacances.*
- say where I am and what it's like .... *Je suis au bord de la mer. C'est assez sympa.*
- ■ use ***avoir*** (to have) and ***être*** (to be) .... *j'**ai**, tu **as**, il/elle/on **a** …* *je **suis**, tu **es**, il/elle/on **est** …*

1

I can …

- say which places I visited .... *J'ai visité le musée et la cathédrale.*
- use sequencers .... *D'abord, j'ai visité le stade. Ensuite, j'ai visité le château. Puis …*
- say what it was like .... *C'était un peu ennuyeux.*
- ■ form the **perfect tense** of ***visiter*** .... ***j'ai visité**, **tu as visité**, …*

2

I can …

- say what I did during the holidays .... *Pendant les vacances, j'ai nagé dans la mer.*
- ask someone what they did .... *Qu'est-ce que tu as fait pendant les vacances?*
- ■ form the **perfect tense** of regular *–er* verbs .... ***j'ai joué**, **on a regardé***

3

I can …

- describe a visit to a theme park .... *J'ai fait les manèges, puis j'ai bu un coca.*
- spot and use the negative with perfect tense verbs .... *Je **n**'ai **pas** acheté de souvenirs.*
- ■ form the **perfect tense** of irregular verbs .... ***J'ai vu** un spectacle. **J'ai pris** des photos.*

4

I can …

- ask questions in the perfect tense .... *Tu es allé(**e**) où? Avec qui? Tu as voyagé comment?*
- say where I went, who with and how I travelled .... *Je suis allé(**e**) en Espagne avec ma famille. Nous avons voyagé en avion.*
- ■ form the **perfect tense** of ***aller*** (to go) .... ***je suis allé(e)**, **il est allé**, **elle est allée***

Révisions

1 Match the following perfect tense verbs to the phrases below, to make sentences. Copy out the sentences and translate them.

J'ai mangé | J'ai regardé | J'ai joué | J'ai écouté | J'ai acheté | J'ai nagé

des baskets. | au tennis. | des glaces. | de la musique. | dans la mer. | des clips vidéo.

2 Complete these sentences with the correct irregular past participle from the box.

1 J'ai ____ un coca.
2 J'ai ____ des photos.
3 J'ai ____ un spectacle.
4 J'ai ____ une balade en bateau.

fait pris bu vu

3 Use these sequencers to make up five sentences about what you did on holiday.

Example: D'abord, j'ai joué au basket. Ensuite, j'ai bu un coca. Puis …

d'abord | ensuite | puis | après | finalement

4 From memory, write down five different opinions using *c'était* + an adjective.
Example: C'était amusant.

5 Translate the following message from your French friend, Hugo. Then rewrite the French, changing the underlined details.

> Je suis allé <u>en Grèce</u> avec <u>mes parents</u>. Nous avons voyagé <u>en avion</u>. D'abord, <u>j'ai visité la cathédrale</u>, ensuite <u>j'ai acheté des souvenirs</u>. C'était <u>assez sympa</u>.

6 How many of the following can you list? For help, look at page 16:

- **a** countries with *en* / *au* / *aux* or *à* …
- **b** people you might go on holiday with (*avec mon/ma/mes* …)
- **c** means of transport (*en* …)

Go!

7 In pairs. Match these questions to their English meanings.

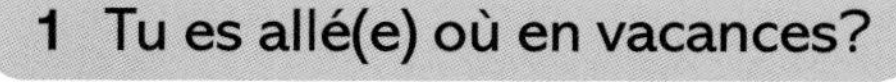

1 Tu es allé(e) où en vacances? | **2** Avec qui? | **3** Tu as voyagé comment?
4 Qu'est-ce que tu as fait? | **5** C'était comment?

a How did you travel? | **b** What did you do? | **c** What was it like?
d Who with? | **e** Where did you go on holiday?

8 In pairs. Use the questions from exercise 7 to make up a conversation. Invent the answers.

Example:

- *Tu es allé(e) où en vacances?*
- ■ *Je suis allé(e) en France.*

En focus

Écoute l'interview avec une célébrité au sujet des vacances. Réponds aux questions en anglais. (1–6)

1 Which country did he go to?
2 How did he get there?
3 Who did he go on holiday with?
4 What activity did he do a lot?
5 What building did he visit?
6 What is his opinion of the holiday?

Écoute Ambre et Gabriel. Qu'est-ce qu'ils n'ont pas fait en vacances? Écris les deux bonnes lettres pour chaque personne.

Listen to Ambre and Gabriel. What did they not do on holiday? Write the two correct letters for each person.

1 Ambre **2 Gabriel**

a	play volleyball
b	drink cola
c	buy souvenirs
d	eat in a restaurant
e	go on a boat ride
f	swim in the sea
g	take photos
h	go to a theme park

Remember **TRAPS**!
T = **T**ense / **T**ime frame
R = **R**eflect, don't **R**ush
A = **A**lternative words / synonyms
P = **P**ositive or negative?
S = **S**ubject (person involved) – more on that in Module 3!
In exercise 2, the **P** is important. Listen for whether the verbs are in the positive or negative form.

Role play. In pairs, read the first dialogue out loud. Then do the second dialogue yourselves (using dialogue 1 for support).

You are talking to your French penfriend about holidays.

1

- *Tu es allé(e) où en vacances?*
- *Je suis allé(e) en France.*
- *Avec qui?*
- *Avec mes amis.*
- *Tu as voyagé comment?*
- *J'ai voyagé en car.*
- *Qu'est-ce que tu as fait en vacances?*
- *J'ai mangé beaucoup de glaces!*
- *C'était comment?*
- *C'était amusant.*

2

- *Tu es allé(e) où en vacances?*
- [Say you went to Spain.]
- *Avec qui?*
- [Say you went on holiday with your family.]
- *Tu as voyagé comment?*
- [Say you travelled by plane.]
- *Qu'est-ce que tu as fait en vacances?*
- [Say you took lots of photos.]
- *C'était comment?*
- [Say it was great.]

Traduis les phrases en anglais.

1 Je suis allé en Suisse avec mes parents.
2 J'ai voyagé en voiture.
3 Nous avons visité le lac et le château.
4 Je n'ai pas visité le musée.
5 C'était un peu ennuyeux.

Make sure you translate accurately.

- Look at the subject pronouns (*je, il, elle, nous*, etc.). Who is being referred to: 'I', 'he', 'she', 'we' …?
- Watch out for negatives! Remember, they completely change the meaning of a sentence.

Lis le texte et réponds aux questions. Écris les bons prénoms.

J'habite au bord de la mer, mais pendant les vacances, je suis allée chez mes grands-parents, à la montagne. **Farida**

Nous avons visité un parc d'attractions et j'ai vu mes personnages préférés, mais je n'ai pas acheté de souvenirs. **Sophie**

Je suis allé aux États-Unis et j'ai visité un stade. En souvenir j'ai acheté un tee-shirt et une casquette parce que j'adore le football américain! **Guillaume**

Je suis allé en colo et j'ai beaucoup nagé dans la mer. J'ai aussi fait de la plongée sous-marine. C'était génial! **Quentin**

Pendant les vacances, j'ai joué à des jeux vidéo avec ma sœur. J'ai passé mes vacances à la maison. **Élodie**

1 Who went to a theme park?
2 Who stayed at home during the holidays?
3 Who visited some family members?
4 Who bought some souvenirs?
5 Who had a great holiday by the sea?

Reflect, don't **R**ush! Read the texts carefully for detail and watch out for distractors. For example, two people mention the sea, but only one person actually talks about holidaying by the sea.

Traduis les phrases en français.

If you are female, make the past participle agree.

Use *nous* followed by the right part of the verb *avoir*.

Remember the 1–2–3 rule!

1 During the holidays, I visited a castle.
2 I went to France with my friends.
3 We travelled by coach and by boat.
4 I played tennis and I took photos.
5 I didn't swim in the sea.

Use *en*.

Where does the negative *n'… pas* go?

Écris un message pour ton ami(e) français(e). Réponds aux questions.

- Tu es allé(e) où en vacances?
- Qu'est-ce que tu as fait?
- C'était comment?

En plus

1 Écoute et lis. Trouve et copie l'équivalent en français des verbes soulignés.

Mes vacances désastreuses - par Clément Catastrophe

1 I forgot my passport.
2 We missed the plane.
3 I broke my phone.
4 I lost my purse.
5 I vomited.
6 I stayed in bed for three days.

To find the verbs in exercise 1, use the pictures and look for clues in the text such as words you recognise, or can guess (*passeport, vomi* ...).

- Can you spot two verbs in exercise 1 with past participles which do not end in **–é**? This is because not all verbs are **–er** verbs! There are some with infinitives ending in **–ir** (e.g. *vomir* – to vomit) and **–re** (e.g. *perdre* – to lose).
- Can you also spot another verb that works like *aller*? It uses *être* (not *avoir*) in the perfect tense.

2 Écoute. Pour chaque personne, note en anglais les trois problèmes. (1–3)

Exemple: **1** forgot phone, ...

3 En tandem. Regarde les images et fais un dialogue. Puis invente un deuxième dialogue. Utilise tes propres idées.

- *Tu as passé de bonnes vacances?*
- *Non, c'était complètement nul!*
- *Pourquoi?*
- *D'abord, j'ai perdu ..., ensuite, ... puis ...*
- *Oh là là! Quel désastre!*

4 Écoute et lis le poème. Puis recopie la traduction du poème dans le bon ordre.

Exemple: The sea shines
Like …

La mer

La mer brille
Comme une coquille
On a envie de la pêcher

La mer est verte
La mer est grise
Elle est d'azur
Elle est d'argent et de dentelle

Paul Fort

The sea

The sea is green
It is made of silver and lace
Like a shell
The sea shines
It is azure blue
The sea is grey
You want to fish it

une coquille	*a seashell*
pêcher	*to fish*
la dentelle	*lace*

To put the translation into the correct order, look for words you recognise, such as colours. Use the words in the blue box to help you decode the other lines.

5 Choisis une photo et écris un poème suivant le modèle de l'exercice 4. Utilise les idées dans le tableau.

Exemple: La forêt chante
Comme un oiseau
On a envie de / d'…

Le soleil … **La** forêt …	brûle chante murmure regarde
Comme …	un dragon un feu un oiseau un tigre
Le soleil est … / **Il** est … **La** forêt est … / **Elle** est …	énorme jaune orange terrifiant(**e**) vert(**e**) mystéri**eux**/**euse**
On a envie …	d'écouter d'explorer de courir de danser

a

Le soleil

b

La forêt

If there are words in the grid that you can't work out, look them up in the *Glossaire* (pages 138–143).

- Adjective endings often change, according to whether the noun they describe is masculine (***le***) or feminine (***la***). Make sure you choose the correct version from the grid.
- When you have finished your poem, read it aloud, using your knowledge of French sounds to pronounce new words correctly.

Grammaire

The perfect tense of regular *–er* verbs (Unit 1, page 10 and Unit 2, page 12)

1 Change the infinitives of the regular *–er* verbs in brackets into past participles. Then copy out the verbs and translate them.

Example: **1** j'ai (danser) ➡ j'ai dansé (I danced)

1 j'ai (danser)
2 tu as (voyager)
3 elle a (regarder)
4 on a (manger)
5 nous avons (jouer)
6 ils ont (écouter)

You use the perfect tense to say what you did or have done.

To form the perfect tense of most verbs, you need three things:

1 a subject pronoun (*je, tu, il/elle/on*, etc.)
2 part of the verb ***avoir*** (to have)
3 a **past participle** (e.g. ***joué***, ***écouté***)

To form the **past participle** of regular *–er* verbs, take the *–er* ending off the infinitive and replace it with ***–é***.

The biggest group of verbs is regular *–er* verbs. Once you know the rule, you can form the perfect tense of hundreds of them!

visiter (to visit) ➡ *visité*

1	2	3	
j'	***ai***	***visité***	I visited
tu	***as***	***visité***	you (singular) visited
il/elle/on	***a***	***visité***	he/she / we visited
nous	***avons***	***visité***	we visited
vous	***avez***	***visité***	you (plural or polite) visited
ils/elles	***ont***	***visité***	they visited

2 Fill in the gaps with the correct part of *avoir* to complete the sentences in the perfect tense.

1 J' ______ écouté de la musique. (*I listened to music.*)
2 Nous ______ nagé dans la mer. (*We swam in the sea.*)
3 Tu ______ joué au foot. (*You played football.*)
4 Il ______ mangé une glace. (*He ate an ice cream.*)
5 Elles ______ visité le musée. (*They visited the museum.*)
6 Vous ______ acheté des souvenirs. (*You bought souvenirs.*)

3 Translate the sentences into French, following the 1–2–3 rule.

1 subject pronoun **2** part of ***avoir*** **3 past participle**

Example: **1** J'**ai voyagé** en avion.

1 I travelled by plane.
2 I bought some souvenirs.
3 We visited the stadium. (Use *nous*.)
4 She sang and danced.
5 They swam in the sea. (Use *ils* or *elles*.)
6 You played tennis. (Use *tu* or *vous*.)

Accuracy is important! Don't forget the acute accent (*é*) at the end of the past participle of regular *–er* verbs.

The perfect tense of irregular verbs (Unit 3, page 14)

4 Find <u>two</u> regular and <u>four</u> irregular past participles in the word snake and use them to complete the sentences. Then translate the sentences.

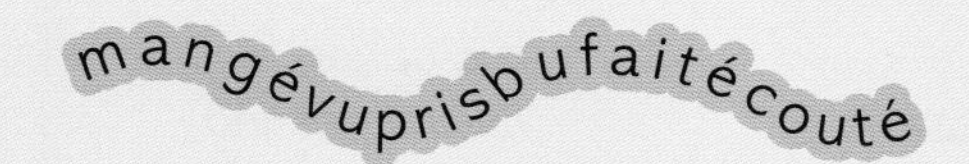

Some important verbs are irregular. Their **past participles** do not follow a rule, so you need to learn each one by heart.

boire (to drink) ➡ *j'ai* ***bu*** (I drank)
voir (to see) ➡ *j'ai* ***vu*** (I saw)
faire (to do / make) ➡ *j'ai* ***fait*** (I did / I made)
prendre (to take) ➡ *j'ai* ***pris*** (I took)

Faire is sometimes used to mean 'go', or 'to go on'.
J'ai fait une balade en bateau. (I went on a boat ride.)

1 J'ai ______ des photos.
2 J'ai ______ une glace.
3 J'ai ______ un coca.
4 Nous avons ______ de la musique.
5 Nous avons ______ les manèges.
6 Nous avons ______ un spectacle.

Using the negative with verbs in the perfect tense (Unit 3, page 15)

5 Put the sentences into the negative and translate them into English.

Example: J'ai mangé une pizza. ➡ Je **n'**ai **pas** mangé **de** pizza. (I didn't eat any pizza.)

1 J'ai mangé une pizza.
2 J'ai regardé un film.
3 J'ai pris des photos.
4 Nous avons fait une balade en bateau.
5 Nous avons acheté des souvenirs.
6 Nous avons bu une limonade.

To make a perfect tense verb negative, put ***ne** (or **n'**) **...** **pas*** around <u>the part of *avoir*</u>.

*Je **n'**ai **pas** visité le musée.* (I didn't visit the museum.)

After a negative, ***un, une, du, de la*** and ***des*** become ***de***:
*Je **n'**ai **pas** pris <u>**de**</u> photos.* (I didn't take any photos.)

The perfect tense of *aller* (to go) (Unit 4, page 16)

6 Read the following message. Which past participles need an extra *–e*? Choose the correct version of each past participle and copy out the whole message.

Pendant les vacances, je suis **allé / allée** à Londres, avec ma famille. Le lundi, mon frère est **allé / allée** à la Tour de Londres avec mon père. Le mardi, ma mère est **allé / allée** aux magasins d'Oxford Street. Le mercredi, je suis **allé / allée** au zoo avec mes parents. Le jeudi, mon père est **allé / allée** au musée d'Histoire naturelle. Le vendredi, je suis **allé / allée** au théâtre avec ma mère et mon frère. C'était super!

Juliette

Some verbs, like *aller* (to go) use **être** (not *avoir*) to form the perfect tense.

They still follow the 1–2–3 rule:

1	2	3	
Je	***suis***	***allé*** *en Espagne.*	I went to Spain.
Il	***est***	***allé*** *au Maroc.*	He went to Morocco.

The **past participle** of these verbs must agree with the subject. Add an extra **–e** if the subject is **feminine**.

The extra –*e* is silent, but it's important to include it when you are writing.

<u>aller</u>	<u>to go</u>
*je **suis allé**(e)*	I went
*tu **es allé**(e)*	you (singular) went
*il **est allé***	he went
*elle **est allée***	she went

Vocabulaire

Point de départ (pages 8–9)

J'ai ...	*I have ...*
une semaine de vacances.	*a week of holiday.*
deux semaines de vacances.	*two weeks of holiday.*
en janvier / février (etc.)	*in January / February (etc.)*
C'est pour Noël.	*It's for Christmas.*
C'est pour Pâques.	*It's for Easter.*
C'est pour les grandes vacances.	*It's for the summer holidays.*
Tu es où en vacances?	*Where are you on holiday?*
Je suis en vacances ...	*I am on holiday ...*
au bord de la mer.	*at the seaside.*
à la montagne.	*in the mountains.*
à la campagne.	*in the countryside.*
en colonie de vacances.	*at a holiday camp.*
chez mes grands-parents.	*at my grandparents' home.*
C'est amusant.	*It is fun.*
C'est ennuyeux.	*It is boring.*
C'est intéressant.	*It is interesting.*
C'est sympa.	*It is nice.*
C'est nul.	*It is rubbish.*
un peu	*a bit*
assez	*quite*
très	*very*
complètement	*completely*

Unité 1 (pages 10–11) *Qu'est-ce que tu as visité?*

Qu'est-ce que tu as visité?	*What did you visit?*
J'ai visité le château.	*I visited the castle.*
J'ai visité le lac.	*I visited the lake.*
J'ai visité le musée.	*I visited the museum.*
J'ai visité le parc.	*I visited the park.*
J'ai visité le stade.	*I visited the stadium.*
J'ai visité la cathédrale.	*I visited the cathedral.*
J'ai visité la mosquée.	*I visited the mosque.*
J'ai visité la chocolaterie.	*I visited the chocolate shop.*
d'abord	*first of all*
ensuite	*next*
puis	*then*
après	*after(wards)*
finalement	*last of all*
C'était comment?	*How was it? / What was it like?*
C'était amusant.	*It was fun.*
C'était cool.	*It was cool.*
C'était génial.	*It was great.*
C'était ennuyeux.	*It was boring.*
C'était intéressant.	*It was interesting.*
C'était sympa.	*It was nice.*
C'était moderne.	*It was modern.*
C'était nul.	*It was rubbish.*

Unité 2 (pages 12–13) *Qu'est-ce que tu as fait pendant les vacances?*

Qu'est-ce que tu as fait pendant les vacances?	*What did you do during the holidays?*
Pendant les vacances ...	*During the holidays ...*
J'ai joué au tennis.	*I played tennis.*
J'ai joué au foot.	*I played football.*
J'ai mangé des glaces.	*I ate ice creams.*
J'ai mangé une pizza.	*I ate a pizza.*
J'ai écouté de la musique.	*I listened to music.*
J'ai acheté des baskets.	*I bought some trainers.*
J'ai acheté un tee-shirt.	*I bought a tee-shirt.*
J'ai acheté des BD.	*I bought some comics.*
J'ai regardé des clips vidéo.	*I watched video clips.*
J'ai regardé un film à la télé.	*I watched a film on TV.*
J'ai nagé dans la mer.	*I swam in the sea.*
J'ai retrouvé Léo.	*I met up with Léo.*
J'ai traîné au lit.	*I hung around in bed.*
J'ai dormi.	*I slept.*

Unité 3 (pages 14–15) *Qu'est-ce que tu as fait?*

J'ai visité un parc d'attractions.	*I visited a theme park.*
J'ai bu un coca.	*I drank a cola.*
J'ai vu un spectacle.	*I saw a show.*
J'ai vu mes personnages préférés.	*I saw my favourite characters.*
J'ai fait une balade en bateau.	*I went on a boat ride.*
J'ai fait les manèges.	*I went on the rides.*
J'ai pris des photos.	*I took photos.*
Je n'ai pas mangé de glaces.	*I didn't eat any ice creams.*
Je n'ai pas acheté de souvenirs.	*I didn't buy any souvenirs.*

Unité 4 (pages 16–17) *Tu es allé(e) où?*

Tu es allé(e) où en vacances?	*Where did you go on holiday?*
Je suis allé(e) en Espagne.	*I went to Spain.*
Je suis allé(e) en Grèce.	*I went to Greece.*
Je suis allé(e) au Maroc.	*I went to Morocco.*
Je suis allé(e) aux États-Unis.	*I went to the USA.*
Avec qui?	*Who with?*
Avec mon frère.	*With my brother.*
Avec ma famille.	*With my family.*
Avec mes parents.	*With my parents.*
Avec mes amis.	*With my friends.*
Tu as voyagé comment?	*How did you travel?*
J'ai voyagé en avion.	*I travelled by plane.*
J'ai voyagé en bateau.	*I travelled by boat.*
J'ai voyagé en car.	*I travelled by coach.*
J'ai voyagé en train.	*I travelled by train.*
J'ai voyagé en voiture.	*I travelled by car.*

Les mots essentiels *High-frequency words*

Qualifiers

assez	*quite*
très	*very*
un peu	*a bit*
complètement	*completely*

Sequencing words

d'abord	*first of all*
ensuite	*next*
puis	*then*
après	*after(wards)*
finalement	*last of all*

Prepositions

au (+ masculine country)	*to / in*
en (+ feminine country)	*to / in*
aux (+ plural country)	*to / in*

Question words

comment?	*how?*
combien de?	*how much / how many?*
où?	*where?*
qu'est-ce que?	*what?*
(avec) qui?	*who (with)?*

Stratégie

Cognates, near-cognates and *faux amis*

Cognates are spelt the same in French as in English. But remember to learn the correct pronunciation, as it is usually different from English! How do you pronounce the following?

le train *des photos* *des souvenirs* *mes parents*

Near-cognates are nearly – but not exactly – the same as English words. Take extra care when learning to spell words like this!

le lac *le parc* *la musique* *ma famille*

Some words look like cognates, but they are *faux amis* (false friends). What do these words mean in English?

le car *le spectacle* *des baskets*

Module 2 J'adore les fêtes!

1 C'est quelle fête?

1 

2 

3 

4 

5 

6 

a Pâques **b** Noël **c** la Chandeleur **d** le 14 juillet **e** le Nouvel An **f** l'Aïd

2 Qu'est-ce que c'est?

1 

a une crêpe
b une bûche de Noël
c le père Noël

2 

a l'éléphant de Pâques
b le hamster de Pâques
c le lapin de Pâques

3 

a un cadeau de Noël
b une carte de Noël
c une carte d'anniversaire

4 

a des bonbons
b un feu d'artifice
c des lampes

3 C'est quel prénom? Sa fête, c'est ...

1 le deux janvier
2 le trente janvier
3 le vingt-et-un janvier
4 le quatorze janvier
5 le sept janvier

Each date in the French calendar is linked to a saint. People with the same name as the saint celebrate their 'name day' (*fête*) on that day. Modern first names can often be linked back to older, more traditional ones.

janvier

1 jour de l'An	9 Alix	17 Roseline	25 Apollos
2 Basile	10 Guillaume	18 Prisca	26 Pauline
3 Geneviève	11 Paulin	19 Marius	27 Angèle
4 Odilon	12 Tatiana	20 Sébastien	28 Thomas
5 Édouard	13 Yvette	21 Agnès	29 Gildas
6 Balthazar	14 Nina	22 Vincent	30 Martine
7 Raymond	15 Rémi	23 Barnard	31 Marcelle
8 Lucien	16 Marcel	24 François	

Can your first name be linked to a saint's day? Search for the complete ***calendrier des fêtes*** online to find the date of your ***fête***.

You may need to look for the French equivalent of your name, which has a slightly different spelling.

4 C'est quelle date, la fête pour chaque prénom anglais?

1 Tom
2 Paula
3 Edward
4 Angela
5 William

5 Identifie le pays francophone sur chaque photo.

People often go to the market to buy food for special days and festivals. What similarities can you see between the markets in these French-speaking countries? And what differences? Are there any foods you don't recognise? Try to find out what they are.

1

un marché au Ca*a*a

2
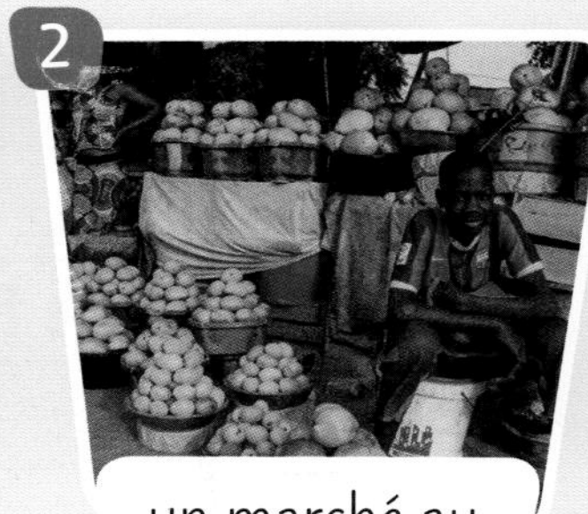
un marché au Sé*é*a*

3
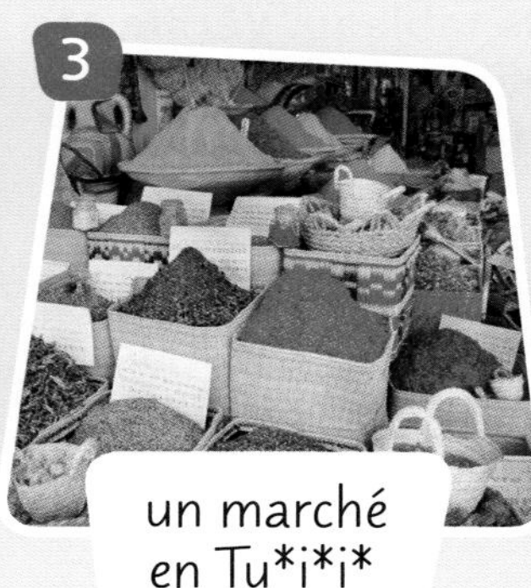
un marché en Tu*i*i*

4

un marché en Fr*n*e

Point de départ

- Understanding dates
- Saying what festivals you like and dislike

Lis les phrases et écris la bonne lettre pour chaque date.

1 Mon anniversaire, c'est le douze juillet.
2 Mon anniversaire, c'est le quinze mars.
3 La date de mon anniversaire, c'est le vingt-et-un septembre.
4 Ma fête, c'est le vingt-sept novembre.
5 La date de ma fête, c'est le quatorze juin.
6 Le premier août, c'est mon anniversaire.

a 21/9 b 27/11 c 15/3 d 14/6 e 12/7 f 1/8

1 un	**6** six	**11** onze	**16** seize	**21** vingt-et-un
2 deux	**7** sept	**12** douze	**17** dix-sept	**22** vingt-deux
3 trois	**8** huit	**13** treize	**18** dix-huit	**23** vingt-trois
4 quatre	**9** neuf	**14** quatorze	**19** dix-neuf	**30** trente
5 cinq	**10** dix	**15** quinze	**20** vingt	**31** trente-et-un
le **deux/trois/sept** avril	*the **second/third/seventh** of April*			
le **premier** avril	*the **first** of April*			

Regarde les fêtes – c'est quelle carte? Puis écoute et choisis la bonne date pour chaque fête. (1–6)

Exemple: 1 d – le 25 décembre

1 Noël 2 la Saint-Valentin 3 le Nouvel An 4 mon anniversaire 5 l'Aïd 6 Pâques

a

b

c

d

e

f

le 30 juillet | le 12 avril | le 13 mai | le 25 décembre | le 1 janvier | le 14 février

Écoute et regarde le tableau. Vérifie et note si la date mentionnée est correcte (✓) ou fausse (✗). (1–5)

Halloween	le 31 octobre
la Chandeleur	le 2 février
la fête nationale française	le 14 juillet
Diwali	le 24 octobre
la fête de la musique	le 21 juin

En tandem. Mémorise les dates de l'exercice 3, puis ferme le livre. Pose la question et réponds.

- *Halloween, c'est à quelle date?*
- *C'est le 29 octobre. / C'est le 31 octobre.*
- *Non, c'est faux! / Oui, c'est correct!*

Lis les textes. Puis trouve les phrases en français.

Quelle est ta fête préférée?

J'aime mon anniversaire parce que c'est amusant. J'aime faire une soirée pyjama. Eva

Je déteste le 31 décembre et le Nouvel An parce que c'est nul. Je n'aime pas danser. Tom

Je préfère Pâques parce que c'est amusant. J'aime manger du chocolat. Axel

J'adore Noël parce que j'adore acheter des cadeaux pour ma famille. Lila

J'aime l'Aïd parce que c'est sympa. J'aime aller chez mes cousins. Yanis

Je n'aime pas la Saint-Valentin parce que c'est très commercial. Sarah

1. I love …
2. I like …
3. I prefer …
4. I don't like …
5. I hate …

Opinion phrases are often followed by an **infinitive**, which is translated by '–ing'.

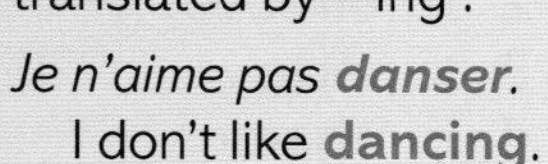

*Je n'aime pas **danser**.*
I don't like **dancing**.

Relis les textes de l'exercice 5. Copie et complète le tableau en anglais pour chaque personne.

name	opinion + festival	reason(s)
Eva	likes her birthday	it's fun, likes having a sleepover

Prépare tes réponses aux questions.

1 Quelle est ta fête préférée?   2 Quelle fête est-ce que tu n'aimes pas?

J'adore J'aime Je préfère	Noël mon anniversaire la Saint-Valentin Pâques l'Aïd le Nouvel An	parce que	j'aime je déteste …	danser. manger du chocolat. acheter des cadeaux. aller chez ma mère / mes cousins. faire une soirée pyjama.
Je n'aime pas Je déteste			c'est (très)	amusant / sympa / nul / commercial.

Écris ta réponse pour le forum de l'exercice 5. Utilise le tableau de l'exercice 7.

Do you remember these sounds? You also find them in these words:

é  (vélo) in *manger*, *danser*, *acheter*, *chez*.

è  (sorcière) in *anniversaire*, *préfère*, *mère*.

in 

(intelligent) in *Saint-Valentin*, *cousins*.

ch  (échecs) in *chocolat*, *acheter*, *chez*.

1 C'est carnaval!

- Describing a festival
- Using the present tense of regular *–er* verbs

1 Lis et associe les infinitifs.

1 écouter	2 manger	3 regarder
4 partager	5 retrouver	6 porter

to meet · to wear · to listen to · to eat · to share · to watch

Carnaval is a very popular festival in the French-speaking world. ***Mardi gras*** marks the start of Lent, 40 days before Easter. Many towns have parades on that day.

2 Trouve la bonne fin pour chaque phrase. Puis écoute et vérifie.

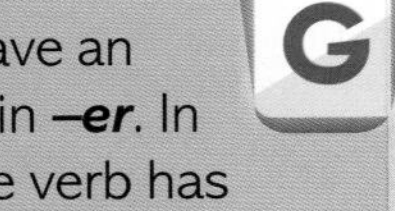

1 Ma fête préférée, c'est …
2 Je retrouve …
3 Je porte …
4 Je regarde …
5 J'écoute …
6 Je mange …
7 Je partage …

a un masque et un déguisement.
b une crêpe dans la rue.
c la parade en ville.
d des photos et des vidéos.
e le carnaval.
f la musique et je danse.
g mes copains.

Most French verbs have an infinitive which ends in ***–er***. In the present tense, the verb has different endings according to the subject.

danser	**to dance**
*je dans**e***	I dance
*tu dans**es***	you (singular) dance
*il/elle/on dans**e***	he/she dances / we dance
*nous dans**ons***	we dance
*vous dans**ez***	you (plural or polite) dance
*ils/elles dans**ent***	they dance

The present tense is used to talk about what usually happens or what is happening now: *je danse* means 'I dance' or 'I am dancing'.

Watch out for silent verb endings. In the grammar box, the underlined verbs all sound the same. The ***–ent*** ending is always silent. Practise reading the verb paradigm aloud.

3 Écoute et lis. Écris le bon verbe pour compléter le texte.

Je m'appelle Océane et j'habite en Martinique. Moi perso, j' **1** le carnaval en février. J' **2** beaucoup le mardi gras.

Le matin, je **3** des crêpes avec mon petit frère. L'après-midi, je **4** les parades. Je **5** des vêtements rouges.

Le soir, j' **6** des groupes de percussions dans la rue. Je **7** jusqu'à 4h ou 5h du matin … C'est top.

Before you start, try to work out which verb you might hear in each gap by thinking about the context.

Océane

Look back at the text in exercise 3 and your answers. Write in English at least five things Océane says about Carnival in Martinique.

Qu'est-ce que tu fais au carnaval? Écris une description. Utilise les images.

Exemple: Le matin, je retrouve mes copains et je porte …

Le matin …

L'après-midi …

Le soir …

Écoute et regarde la photo. Quels détails est-ce qu'on donne? Écris la bonne lettre. (1–4)

Remember the **four Ws** – they help with describing photos:
- **a** **Who** is in the photo
- **b** **Where** he/she is
- **c** **What** he/she is **wearing** / **doing**
- **d** what the **Weather** is like

Sur la photo, …	il y a	un homme / garçon. une femme / fille.
Il/Elle est …	dans une parade (en ville). dans un parc.	
Il/Elle …	danse / regarde la parade / mange une glace / chante / joue d'un instrument.	
Il/Elle porte …	un déguisement un masque	bleu / vert / noir / blanc violet / rose / jaune / rouge.
Je pense qu'…	il fait beau / mauvais / chaud / froid.	

Écoute les descriptions. Copie et complète le tableau en anglais. (1–3)

	who?	where?	what doing?	what wearing?	weather?
1	boy	in town			

En tandem. Qu'est-ce qu'il y a sur la photo? Utilise les quatre 'Ws' de l'exercice 6.

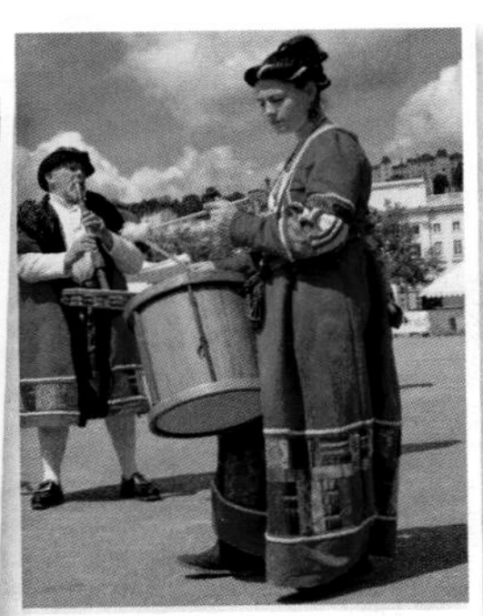

2 La fête de la musique

- Understanding more detailed information about a festival
- Identifying the subject when listening and reading

Lire 1 **Lis le poster et réponds aux questions en anglais.**

1 When is the *fête de la musique* taking place?
2 How many music groups are taking part?
3 There are four different stages for the performances: where are they?
4 What kinds of food can you buy?
5 What is happening at 9 p.m.?

The ***fête de la musique*** is one of France's most popular festivals. 10 million people all over France enjoy the free musical events in every town.

Écouter 2 **Écoute. Trouve la bonne image. (1–7)**

attendre ... avec impatience	*to look forward to*

a

Le matin, **je vends** des disques vinyles au marché.

b

Puis **j'écoute** un rappeur sur la place.

c

Chaque année, **j'attends** la fête de la musique **avec impatience**.

d
Mais moi, **je préfère** la fanfare. C'est fantastique!

e

L'après-midi, **je choisis** un groupe de rock.

f

Je m'appelle Yacine. **J'habite** à la campagne.

g

Je finis à midi.

Most French verbs are ***–er*** verbs, e.g. *écouter* (to listen to). There are two more types of regular verbs:

- ***–ir*** verbs, e.g. *finir* (to finish)
- ***–re*** verbs, e.g. *vendre* (to sell)

	finir to finish	*vendre* to sell
je	*finis*	*vends*
tu	*finis*	*vends*
il/elle/on	*finit*	*vend*
nous	*finissons*	*vendons*
vous	*finissez*	*vendez*
ils/elles	*finissent*	*vendent*

Examples: ***–ir*** verbs: ***finir*** (to finish), ***choisir*** (to choose)
–re verbs: ***vendre*** (to sell), ***attendre*** (to wait (for))

Can you spot these verbs in exercises 2 and 6?

Page 48

Lire 3 **Relis les phrases de l'exercice 2. Trouve l'équivalent en gras des verbes anglais.**

1 I prefer
2 I live
3 I listen to
4 I finish
5 I choose
6 I sell
7 I look forward to

4 Listen to Yacine talking some more about the *fête de la musique*. Write down if he uses *je*, *il*, *elle* or *nous* each time. (1–5)

5 Listen to Yacine again. Write down the letter of the activity you hear, and who does it. (1–5)

a 
b 
c 
d 
e  

Yacine | Bruno | Maman | la famille

Do you remember **TRAPS** from Module 1? These are things which could trip you up when you are reading or listening.

T = **T**ense / **T**ime frame

R = **R**eflect, don't **R**ush

A = **A**lternative words / synonyms

P = **P**ositive or negative?

S = **S**ubject (person involved)

In exercises 4, 5 and 6, the **S** is important. You need to be able to spot who is being talked about.

- Look out for names and pronouns (*je, il/elle, nous*).
- Phrases in the *je* form sometimes start with *Moi, je …* ('As for me, I …').

6 Lis le blog. Puis choisis les bonnes personnes.

a Nadia | b Nadia and her brother | c Nadia and her friends | d Nadia's mum | e Nadia's brother

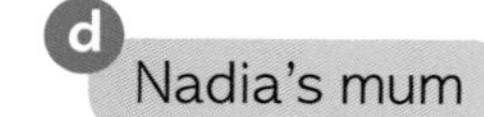

Who …?

1 sings in the choir
2 listens to the choir
3 eats in a café
4 chooses a folk group
5 doesn't like folk music
6 listens to rock music

Le blog de Nadia

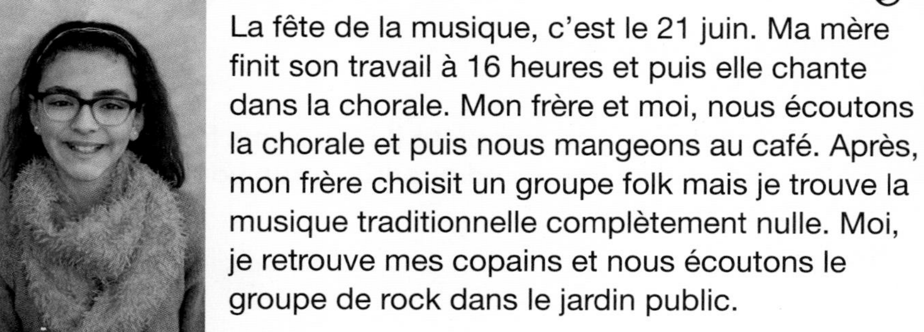

La fête de la musique, c'est le 21 juin. Ma mère finit son travail à 16 heures et puis elle chante dans la chorale. Mon frère et moi, nous écoutons la chorale et puis nous mangeons au café. Après, mon frère choisit un groupe folk mais je trouve la musique traditionnelle complètement nulle. Moi, je retrouve mes copains et nous écoutons le groupe de rock dans le jardin public.

7 Traduis les phrases en anglais. Fais attention aux pronoms.

1 J'attends le 21 juin avec impatience.
2 Je finis mes devoirs et puis je retrouve ma sœur en ville.
3 Je préfère la musique traditionnelle mais elle aime la musique rock.
4 L'après-midi, nous chantons dans la chorale.
5 Après, elle choisit un groupe de rock mais je choisis un groupe folk.

8 Écris un blog sur la fête de la musique.

- J'adore / J'aime / Je n'aime pas la fête de la musique.
- Le matin, je finis …
- L'après-midi, je choisis …
- Le soir, j'écoute …
- C'est super / magique / nul.

3 Et avec ça?

- Buying food at a market
- Working on a role play task

Écouter 1 Écoute et note la bonne lettre. (1–8)

Exemple: **1** d

Remember that cognates look the same as or similar to English words, but they sound different. Try saying these, stressing the final syllable to sound more French: *melon, tomates, bananes, kilo, euro*.

un demi-kilo **de** …	*half a kilo* ***of*** …
un kilo **de** …	*a kilo* ***of*** …
une tranche **de** …	*a slice* ***of*** …

de shortens to ***d'*** before a vowel or silent *h*: *un kilo* ***d'****oignons*.

Écouter 2 Écoute et note en anglais ce qu'ils achètent. (1–8)

Exemple: **1** 1 kg bananas

When buying food, you can use:

- the indefinite article: ***une*** *banane*
- a number: ***six*** *banane****s***
- a quantity followed by ***de***: *deux kilos* ***de*** *banane****s***.

Écrire 3 Copy the sentence and complete it with items from the market. How many items and quantities can you write correctly in two minutes?

Exemple: Je suis allé(e) au marché et j'ai acheté un kilo de jambon, …

Do you recognise these perfect tense verbs?
je suis allé(e) … I **went** …
j'ai acheté … I **bought** …

Parler 4 En tandem. Dis les prix en français.

1 4€40 **2** 3€50 **3** 1€80 **4** 2€90 **5** 4€60 **6** 1€70

20 vingt	**60** soixante	**85** quatre-vingt-cinq
30 trente	**70** soixante-dix	**90** quatre-vingt-dix
40 quarante	**75** soixante-quinze	**95** quatre-vingt-quinze
50 cinquante	**80** quatre-vingts	**100** cent

To say prices, give the number of euros followed by the word *euros*, then the number of cents.
quatre *euros* ***cinquante-cinq*** 4€50

Écoute et lis. Puis complète la traduction en anglais.

- *Bonjour, monsieur. Vous désirez?*
- *Je voudrais un kilo de tomates, s'il vous plaît.*
- *Et avec ça?*
- *Je voudrais quatre tranches de jambon.*
- *C'est tout?*
- *C'est tout, merci. Ça fait combien?*
- *Ça fait 10€60, s'il vous plaît.*
- *Voilà.*
- *Merci, bonne journée.*
- *Au revoir, madame.*

- **1**, sir. What would **2** like?
- I would like a kilo of **3** please.
- Anything else?
- I would like four **4** of **5**.
- Is that all?
- That's **6**, thanks. How **7** is that?
- That's 10€60, **8**.
- Here you are.
- **9**, have a nice day.
- **10**, madam.

Buying food at a market is an example of a formal situation. To be polite:

- use the formal word for you: ***vous***
- address the stallholder as ***monsieur*** or ***madame***
- use ***je voudrais*** (I would like), ***s'il vous plaît*** and ***merci***.

Écoute et note en anglais (1–3):

a what they buy (e.g. a melon, …)
b the total price (e.g. 4€70).

Listen and identify the surprise question from each dialogue. Translate it into English. How could you answer each question in French? (1–3)

a Est-ce que vous êtes en vacances? *Oui, je suis …*
b Est-ce que vous désirez un sac en papier ou en plastique? *Je voudrais …*
c Est-ce que vous aimez le marché? *Oui, j'adore … / Non, je n'aime pas …*

En tandem. Prépare et répète les deux conversations. Utilise les phrases de l'exercice 5 et les questions de l'exercice 7 pour t'aider.

- *Bonjour, vous désirez?*
- **a** 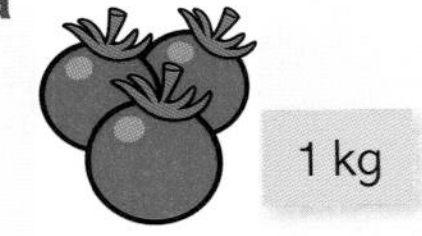 1 kg **b**  2 kg
- *C'est tout?*
- **a**  $\frac{1}{2}$ kg **b** 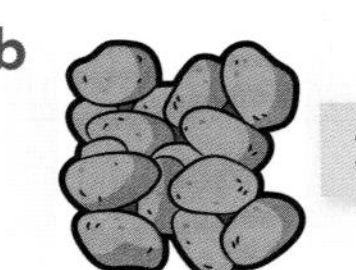 3 kg
- [Ask one of the unexpected questions from exercise 7.]
- *!*
- *Très bien. Ça fait 7€10, s'il vous plaît.*
- [Say thanks and goodbye.]

When you are taking part in a role play, you have to answer unexpected questions.

! means you have to answer an unexpected question like the ones in exercise 7. Try to answer in a full sentence.

Qu'est-ce que tu vas manger?

- Talking about what you are going to eat on a special day
- Using the partitive article (*du*, *de la*, *des*)

1 Écoute et lis les descriptions. Puis identifie la bonne photo.

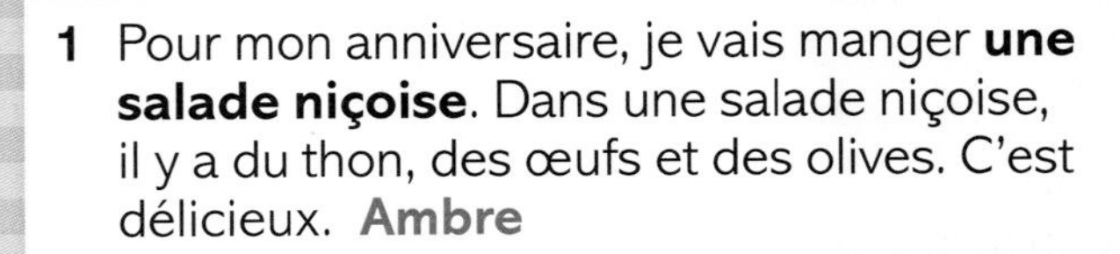

1 Pour mon anniversaire, je vais manger **une salade niçoise**. Dans une salade niçoise, il y a du thon, des œufs et des olives. C'est délicieux. **Ambre**

2 Pour le Nouvel An, je vais manger **une tarte flambée**. Dans une tarte flambée, il y a du fromage blanc, de la pâte et des oignons. C'est comment? C'est savoureux! **Théo**

3 Pour l'Aïd, je vais manger **un couscous aux légumes**. Dans le couscous aux légumes, il y a des pois chiches, des carottes et du couscous. C'est très bon. **Malika**

To say 'some' in French, use the partitive article:

masculine	***du*** *thon*
feminine	***de la*** *pâte*
vowel or *h*	***de l'****eau*
plural	***des*** *olives*

You always need an article before a food item in French:

Il y a ***du*** *thon et* ***des*** *olives.*

When you translate into English, you can translate the partitive article by using the word 'some', or by leaving it out:

There is **some** tuna and **some** olives. or There is tuna and olives.

Page 48

a 

b 

c 

2 Re-read the descriptions and write the French for these ingredients.

Exemple: **1** *du thon*

Focus on the three ingredients in each dish and use the photos for help.

- Look for words you know and cognates.
- Don't use the glossary: just your brain and logic.

1 tuna **2** eggs **3** olives **4** pastry **5** onions **6** chick peas **7** carrots

3 En tandem. Jeu de mémoire. Répète la conversation pour chaque personne de l'exercice 1.

- *Tu es Ambre. Qu'est-ce que tu vas manger pour ton anniversaire?*
- *Je vais manger … Dans … il y a …*
- *C'est comment?*
- *C'est …*

C'est délicieux.	*It's delicious.*
C'est savoureux.	*It's tasty.*
C'est très bon.	*It's very good.*

To talk about what is going to happen in the future, use part of the verb ***aller*** followed by the **infinitive**.

je ***vais*** *manger*
tu ***vas*** *manger*
il/elle/on ***va*** *manger*
nous ***allons*** *manger*
vous ***allez*** *manger*
ils/elles ***vont*** *manger*

Page 49

4 Lis les textes et complète les détails pour chaque personne en anglais.

- a name: …
- b lives in: …
- c festival: …
- d going to eat: …
- e speciality of: …
- f opinion + reason: …

Miam-miam, c'est bon!

1 Lily

J'habite à Carnac, dans le nord-ouest de la France. La Chandeleur, c'est demain. Youpi! Je vais manger une crêpe dans un café. C'est une spécialité de la Bretagne. Je vais manger une crêpe au chocolat. C'est vraiment délicieux parce que j'aime beaucoup le chocolat!

2 Baptiste

J'habite à Dieppe. À Pâques, je vais manger dans un restaurant au bord de la mer avec ma mère et mes deux sœurs. Je vais manger des moules-frites. Les moules-frites, c'est un plat typique du nord de la France. C'est très savoureux parce que j'adore les fruits de mer.

3 Grégoire

J'habite en Moselle. J'attends le Nouvel An avec impatience – c'est la semaine prochaine! Je vais manger à la maison. On va manger une quiche lorraine. C'est une spécialité de l'est de la France. Mais je n'aime pas la quiche lorraine parce que je déteste les œufs.

5 Écoute. Complète les détails de l'exercice 4 pour Nour, Zoé et Victor. (1–3)

À	Pâques Noël	je vais manger	un couscous. une salade niçoise. une crêpe. une quiche lorraine. du jambon. des moules-frites.
Pour	le Nouvel An l'Aïd mon anniversaire la Chandeleur le carnaval		
C'est	un plat typique une spécialité	du nord du sud de l'est de l'ouest	de la France.
C'est	très / vraiment	délicieux / savoureux / bon.	

6 Écris deux textes pour le magazine. Utilise ces détails.

a

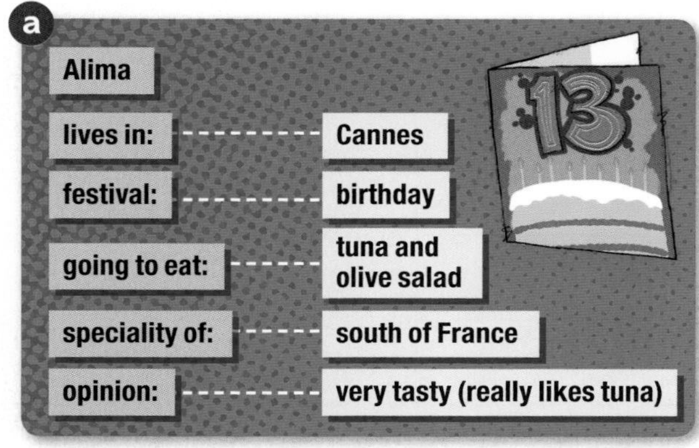

b

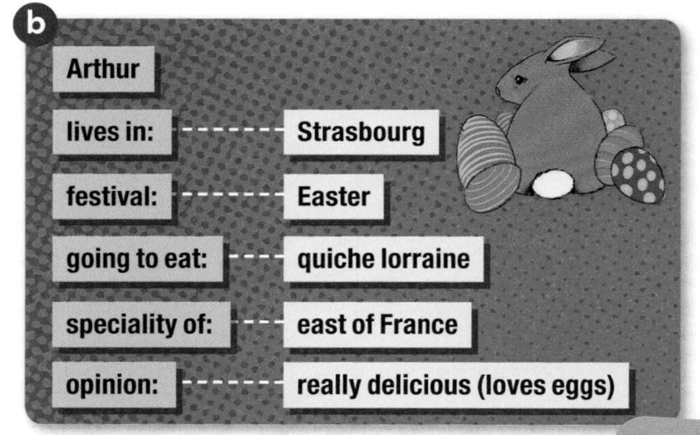

Le marché de Noël

- Talking about a future trip
- Using the near future tense with questions

Lire 1 Lis le blog. Puis choisis un prénom pour compléter chaque phrase.

Blog de classe sur une visite à Colmar

Samedi prochain, la classe 5B va aller à Colmar, en Alsace, en car.

Question: Qu'est-ce que tu vas faire à Colmar?

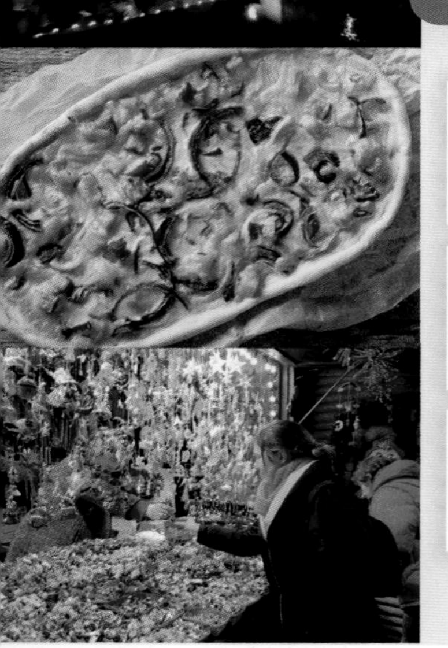

Je vais visiter le marché de Noël.
Maëlle

Je vais acheter un cadeau pour mon père.
Max

Je vais admirer les maisons illuminées.
Juliette

Je vais écouter les chorales sur la rivière. J'aime beaucoup chanter!
Noah

Je vais manger une tarte flambée. C'est une spécialité de la région.
Kalina

Je vais boire un jus de pomme chaud.
Matthieu

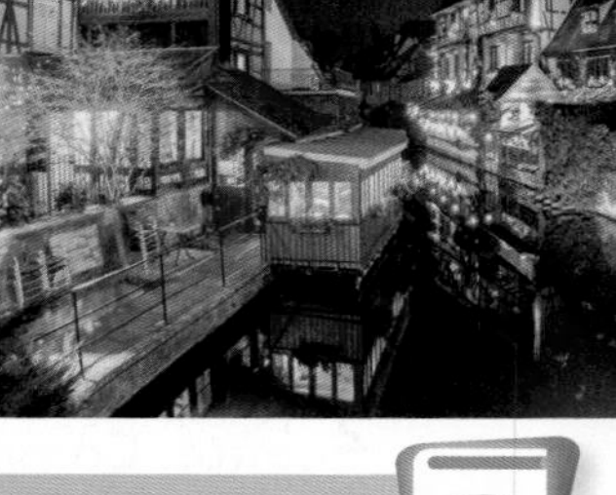

1. ______ is going to listen to the choirs on the river.
2. ______ is going to look at the illuminated houses.
3. ______ is going to buy a present.
4. ______ is going to eat a savoury tart.
5. ______ is going to visit the Christmas market.
6. ______ is going to drink a hot apple juice.

G

*je **vais** acheter*	I am going to buy
*tu **vas** acheter*	you are going to buy
*il/elle **va** acheter*	he/she is going to buy

Page 49

Écouter 2 Écoute et écris le bon prénom de l'exercice 1. (1–6)

Watch out for the ***ch*** sound in *pro**ch**aine* and ***ch**oucroute*, as in *é**ch**ecs*.

- *proch**ain*** and *dem**ain*** contain the same sound as ***in**telligent*.
- But *proch**aine*** rhymes with *sem**aine***.

Parler 3 En tandem. Choisis une possibilité dans chaque colonne et écris deux phrases. Devine les deux phrases de ton/ta partenaire.

Demain	je vais aller à Colmar	en car.	Je vais acheter	des cadeaux	et je vais manger	une tarte flambée.
Samedi prochain		en train.		des souvenirs		de la quiche lorraine.
Le weekend prochain		en voiture.		du fromage		une crêpe.
La semaine prochaine		en avion.		du chocolat		de la choucroute.

Colmar is in **Alsace**, a region in the east of France. Since 1871, Alsace has sometimes been part of France and sometimes part of Germany. Alsace retains some German traditions such as Christmas markets and ***la choucroute*** (sauerkraut).

Associe les questions et les réponses. Puis écoute et vérifie.

1 **Où** est-ce que tu vas aller la semaine prochaine?
2 **Comment** est-ce que tu vas voyager?
3 **Qu'est-ce que** tu vas faire à Colmar?
4 **Qu'est-ce que** tu vas manger?

une boule de Noël

a Je vais voyager en voiture.

b Je vais manger une crêpe dans la rue.

c D'abord, je vais choisir une boule de Noël traditionnelle pour ma grand-mère. Ensuite, je vais écouter la chorale parce que j'aime la musique. Puis je vais boire un chocolat chaud parce que c'est délicieux. Après, je vais partager mes photos.

d La semaine prochaine, je vais aller à Colmar avec ma famille.

Relis les textes de l'exercice 4. Puis réponds aux questions en anglais.

1 When is Kris going to go to Colmar?
2 How is he going to travel there?
3 What is the first thing he is going to do?
4 What else is he going to do? (three things)
5 What is he going to eat?

Traduis les phrases en français.

Use *je vais* + infinitive.

This is in the text in exercise 4.

en

1 I am going to visit Colmar.
2 I am going to travel by coach.
3 First of all, I am going to buy a present for my brother. Then I am going to listen to the music.
4 What are you going to eat?

Remember, this is a question.

G

Questions using the near future tense look like this:

question word + *est-ce que* + verb

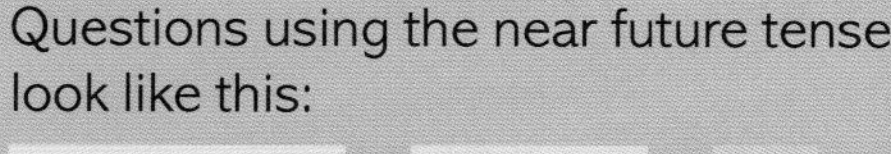

Comment est-ce que tu vas voyager?
How are you going to travel?

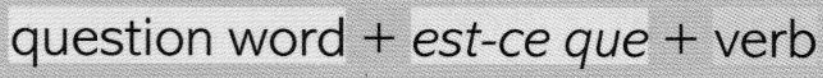

Où est-ce que tu vas aller?
Where are you going to go?

que means 'what':

Qu'est-ce que tu vas faire?
What are you going to do?

Page 49

Le weekend prochain tu vas visiter un marché de Noël en France. Qu'est-ce que tu vas faire? Écris quatre ou cinq phrases.

D'abord, je vais ...

- Use the questions from exercise 4 to help you structure your writing.
- Link your sentences using sequencers like: *d'abord …, ensuite …, puis …, après …*
- Give reasons for your plans: *Je vais … parce que j'adore …* (I'm going to … because I love …).

Bilan

P

I can ...

- say when festivals are: .... *Noël, c'est le 25 décembre.*
- say what I think of different festivals: .... *J'aime l'Aïd. Je n'aime pas Pâques.*
- give reasons for my opinion: .... *parce que c'est amusant / j'aime danser*

1

I can ...

- say what I do at a festival: .... *Je regarde la parade. Je partage des vidéos.*
- describe a photo of a festival: .... *Sur la photo, il y a une fille. Elle porte un masque.*
- ▪ use *–er* verbs: .... *je* ***mange****, il* ***porte****, elle* ***danse***

2

I can ...

- talk about a music festival: .... *J'écoute la fanfare. Il choisit un rappeur.*
- spot and understand different pronouns: .... *je, il, elle, on, nous*
- ▪ recognise and translate ***–ir*** and ***–re*** verbs: .... *je* ***finis****, je* ***vends****, il* ***attend***

3

I can ...

- ask for quantities of food: .... *un kilo de pommes, quatre tranches de jambon*
- buy food at a market: .... *Je voudrais un melon. Ça fait combien?*
- understand and note prices: .... *4€30, 6€90*
- answer unexpected questions: .... *Est-ce que vous êtes en vacances?*

4

I can ...

- say what I am going to eat on a special day: .... *À Noël, je vais manger …*
- understand ingredients in a dish: .... *Dans une tarte il y a de la pâte, des oignons, …*
- give an opinion on a dish: .... *c'est savoureux, c'est délicieux*
- understand information about a dish: .... *C'est une spécialité de l'est de la France. C'est un plat typique du nord de la France.*
- ▪ use the **partitive article**: .... ***du*** *jambon,* ***de la*** *salade,* ***des*** *pommes*
- ▪ use the **near future tense** with *manger*: .... *je* ***vais manger****, tu* ***vas manger***

5

I can ...

- say what I am going to do on a trip: .... *Je vais aller à Colmar. Je vais visiter le marché.*
- ▪ use the **near future tense**: .... *je* ***vais acheter****, elle* ***va boire***
- ▪ understand **questions** using the **near future tense**: .... *Où est-ce que tu vas aller?*

Révisions

Ready

1 Say these dates in order, starting with 1 May.

le treize mai | le premier mai | le trente mai | le trois mai | le quinze mai

2 When would you hear these greetings? Write down the name of each festival in English.

1 Joyeux Noël! 2 Bonne année! 3 Joyeux anniversaire! 4 Joyeuses Pâques!

3 Read the opinions and decide if each one is positive or negative.

1 J'aime beaucoup la tarte.
2 C'est vraiment savoureux.
3 Je n'aime pas le couscous.
4 Miam-miam, c'est bon.

Get set

4 In pairs. Take turns to ask for an item from the shopping list. Your partner gives the price in French.

- *Je voudrais deux kilos de pommes, s'il vous plaît.*
- *Ça fait quatre euros vingt.*

2 kg apples
1 kg cheese
3 kg potatoes
½ kg tomatoes
½ kg ham

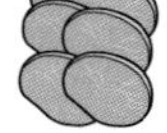

1€50 le kilo | 7€80 le kilo | 2€10 le kilo

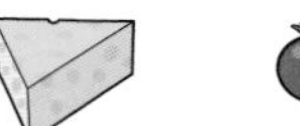

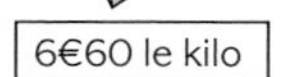

6€60 le kilo | 2€20 le kilo

5 Complete these sentences with one or two activities. If you need help, look at pages 50–51.

1 Au carnaval, je ... 2 À la fête de la musique, je ... 3 Pour la Chandeleur, je ...

6 Use the pronoun *je, tu, il, elle* or *nous* and the verb in brackets to translate these verbs into French. If you need help with the endings, look back at pages 32 and 34.

1 (*danser*) – I dance, she is dancing, we dance
2 (*finir*) – I am finishing, you finish, he is finishing
3 (*attendre*) – I am waiting, he waits, we are waiting

Go!

7 Translate these sentences into English.

1 La semaine prochaine, je vais visiter le marché.
2 Je vais acheter du jambon, des œufs et un cadeau pour ma grand-mère.
3 L'après-midi, je vais aller au café où je vais manger une crêpe.

8 Your French friend sends you some questions about your birthday plans. What does she ask? Write your own answers in French.

Où est-ce que tu vas aller pour ton anniversaire? *Je vais aller ...*

Comment est-ce que tu vas voyager? *Je vais voyager en ...*

Qu'est-ce que tu vas manger? *Je vais ...*

Qu'est-ce que tu vas faire? *Je vais ...*

En focus

Listen to the conversation at the market and answer the questions in English.

1 What does the shopper want to buy first? (1)
2 What does she ask for next? (1)
3 What unexpected question does the market stall holder ask? (1)
4 What is the total cost? (1)

Sam is telling you which festival he and his friends Marie and Arthur <u>like the most</u>. Listen to what he says and match each person to their favourite festival. (1–3)

1 Marie (Sam's friend) **2** Sam (speaker) **3** Arthur (Sam's other friend)

a birthday **b** New Year **c** Christmas **d** Eid **e** Easter **f** Bastille Day

- Watch out for TRA**P**S: festivals they <u>don't</u> like might be mentioned!
- There are three festivals you <u>don't</u> need.

Jeu de rôle. Prépare tes réponses aux questions. Puis écoute et fais le jeu de rôle. (1–2)

Vous êtes au marché.

- *Bonjour madame / monsieur, vous désirez?*
- *[1 sorte de fruit + quantité]*
- *Et avec ça?*
- *[1 sorte de légume + quantité]*
- *Voilà.* [Listen to the unexpected question.]
- ***!***
- *D'accord. Ça fait 11€50. Qu'est-ce que vous faites après le marché?*
- *[activité – après le marché]*

- Before you start, work out what is required for each bullet point. *Légume* means 'vegetable' and *après le marché* means 'after the market'.
- Keep your answers simple and use what you have learned.
- **!** means you have to <u>answer</u> an <u>unexpected</u> question. Use a full sentence in your answer.

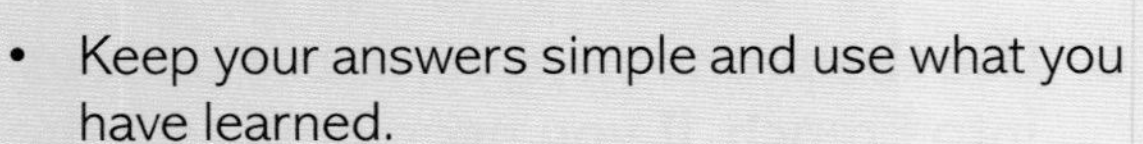

En tandem. Lis la conversation à haute voix. Ensuite, prépare tes propres réponses en changeant <u>les détails soulignés</u>.

- *Quelle est ta fête préférée? Pourquoi?*
- *Je préfère <u>Halloween</u> parce que c'est <u>marrant</u>.*
- *C'est quelle date, la fête?*
- *C'est le <u>31 octobre</u>.*
- *Qu'est-ce que tu fais pour la fête?*
- *Je <u>porte un déguisement</u> et je <u>retrouve mes copains</u>.*

Noël
le Nouvel An
mon anniversaire
l'Aïd
la Saint-Valentin
la Chandeleur
Diwali

5 Lis l'extrait du site web et réponds aux questions en anglais.

Une fin d'année festive!

La Réunion est la destination idéale pour passer un Nouvel An fantastique. Dans l'hémisphère sud, il fait très chaud et la température est souvent de 30°.

Chaque année, des milliers de Réunionnais et de touristes se rassemblent sur les plages dans l'ouest de la Réunion. On mange la spécialité locale, le pâté créole. À minuit, on peut regarder le feu d'artifice qui illumine la plage.

1. Which time of year is this extract about?
2. What is the weather like on Réunion Island at this time of year? (two details)
3. Where do thousands of people go to celebrate? (two details)
4. Why is *le pâté créole* mentioned?
5. What can you do at midnight?

- Read through the questions first to get the gist of the passage.
- Be sure to give extra details in your answers if the question requires them.
- This extract is adapted from a real website so use the strategies you have learned to work things out and take sensible guesses.

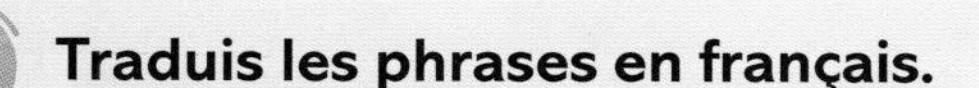

6 Traduis les phrases en français.

Le carnaval in French!

mon, ma or *mes*?

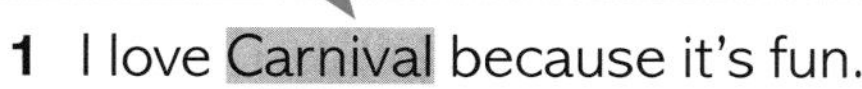

1. I love Carnival because it's fun.
2. I meet my friends in town.
3. We watch the parade.
4. Tomorrow I am going to visit the market.
5. I am going to buy ham and apples.

Use the pronoun *nous*.

Demain

je vais + infinitive

You need to use *du, de la* or *des*.

7 Next weekend, you are going on a trip to Lyon in France to see *la fête des Lumières*. Use the English information to complete the French sentences about your trip.

La fête des Lumières, Lyon

destination:	Lyon
transport:	coach
with:	friends
afternoon activities:	eating pancakes, buying presents for family
evening activities:	listening to the music, looking at illuminated houses

- Le weekend prochain, je vais aller à … en … avec …
- L'après-midi, je vais … et puis …
- Le soir, je vais … et ensuite …

Millions of visitors go to the ***fête des Lumières*** (Festival of Lights) in Lyon every year. For four days around 8 December, houses and buildings all over the city are decorated with lights.

En plus

Lis les textes. Identifie le temps de chaque texte: présent, passé ou futur?

Festivals du Monde

1

En octobre, je suis allée aux États-Unis avec ma famille. On a visité **le festival de Montgolfières d'Albuquerque**. Il y avait 850 000 visiteurs au festival. J'ai mangé un hamburger à midi et j'ai bu un coca. J'ai pris beaucoup de photos parce que c'était vraiment magique. **Émilie**

2

Fin janvier ou en février, c'est **le Nouvel An chinois**. Environ 1,6 milliards de personnes fêtent le Nouvel An chinois. Je décore la maison et je rends visite à la famille. En Chine, il y a sept jours de vacances. C'est une fête très importante pour ma famille. **Lan**

Gay Pride est une célébration de la diversité sexuelle. En juin, je vais visiter Sao Paulo au Brésil avec mes parents. Je vais regarder la parade avec des millions d'autres personnes. Je vais écouter les fanfares et admirer les déguisements bizarres. Ça va être très spectaculaire. **Samuel**

la montgolfière	*hot-air balloon*
rendre visite à	*to visit*

Relis les textes. Copie et complète le tableau en anglais.

	festival	country	when?	activities	opinion
1	Albuquerque hot air balloon festival				
2					
3					

Écoute. Copie et complète le tableau de l'exercice 2 pour ces trois événements. (1–3)

1 la fête des Lumières **2** Sauti za Busara **3** Up Helly Aa

Écoute et note si la description de la visite est au passé, au présent ou au futur. (1–3)

5 Regarde les photos. Puis écris tes réponses aux questions.

Rock en Seine, Paris

la fête du citron, Menton

le festival du Film, Cannes

1 Qu'est-ce que **tu as fait <u>l'année dernière</u>**?

J'ai visité … J'ai écouté …
J'ai mangé … J'ai bu … C'était …

2 Qu'est-ce que **tu fais <u>chaque année</u>**?

Je visite … Je regarde …
Je mange … Je bois … C'est …

3 Qu'est-ce que **tu vas faire <u>l'année prochaine</u>**?

Je vais visiter … Je vais aller …
Je vais regarder … Ça va être …

6 En tandem. Lis le rap à haute voix. Choisis un mot qui rime pour compléter chaque phrase. Puis écoute et vérifie.

J'ai une très bonne recette
Pour fêter chaque 1.
Des biscuits au miel,
Pour le jour de 2,
Et de bonnes crêpes au beurre,
C'est pour la 3.
Je préfère des éclairs,
Pour mon 4.
Une belle quiche? Idéal
Pour la fête 5!
Du bifteck et du vin
Pour la 6.
C'est facile, n'est-ce pas,
Pour un grand chef comme moi!

- anniversaire
- nationale
- Chandeleur
- Saint-Valentin
- fête
- Noël

7 Relis le rap. Mets les plats mentionnés dans le bon ordre.

a 

b 

c 

d 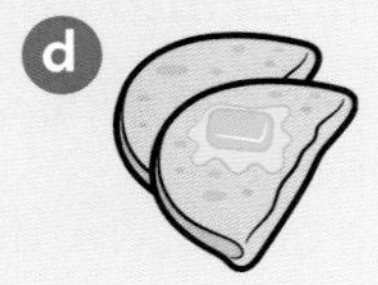

e 

8 Rhyme each food with a festival to make four new verses for the rap. Then practise saying the new verses aloud, keeping in the rhythm of the rap.

Une belle tarte parfaite,	Pour fêter le carnaval.
Un bol de céréales,	Pour le jour de ma fête.
De beaux haricots verts,	Pour fêter Diwali.
Toutes sortes de sucreries,	C'est pour la fête des Mères.

Grammaire

Regular *–ir* and *–re* verbs (present tense) (Unit 2, page 34)

1 Copy and complete the grid, putting the French infinitives into the correct column. Translate each verb into English.

–er verbs	*–ir* verbs	*–re* verbs
écouter (to listen to)		

écouter, décider, attendre, vendre, répondre, grandir, finir, choisir, parler

Can you guess what *grandir* might mean? Use the glossary to check.

Most French verbs are regular ***–er*** verbs, e.g. *manger, aimer*.

There are two more types of regular verbs: ***–ir*** (e.g. *choisir*) and ***–re*** (e.g. *attendre*).

To conjugate these verbs in the present tense, take *–ir* or *–re* off the end of the **infinitive**, and add these endings:

–ir **verbs** e.g. *choisir* (to choose)	***–re*** **verbs** e.g. *attendre* (to wait (for))
*je chois**is***	*J'attend**s***
*tu chois**is***	*tu attend**s***
*il/elle/on chois**it***	*il/elle/on attend*
*nous chois**issons***	*nous attend**ons***
*vous chois**issez***	*vous attend**ez***
*ils/elles chois**issent***	*ils/elles attend**ent***

- The *il/elle/on* form of *–re* verbs has no ending.
- Some verb forms are spelled differently but sound the same, e.g. *choisis / choisit*; *attends / attend.*
- Present tense verbs can be translated in two ways, e.g. *j'attends* means 'I wait (for)' or 'I am waiting (for)'.

2 Choose the correct form of each verb by looking carefully at the ending. Then translate each verb into English, giving both possible present tense meanings.

Example: **1** *je choisis* – I choose / I am choosing

1. je *choisir / choisis / choisit*
2. tu *finis / finissez / finissent*
3. elle *grandir / grandit / grandissons*
4. nous *finis / finit / finissons*
5. je *répondre / répondez / réponds*
6. tu *attends / attend / attendent*
7. il *vendre / vends / vend*
8. nous *attendre / attendons / attends*

The partitive article ('some') (Unit 4, page 38)

3 Translate these sentences into English.

1. Dans la soupe, il y a des carottes, des pommes de terre et de l'eau.
2. Dans les crêpes, il y a du beurre, du sucre et des œufs.
3. Dans mon sac, il y a du fromage, des olives et des tomates.
4. Sur ma liste, il y a du jambon, de la glace, de l'huile d'olive et des melons.

Du beurre is butter. Can you guess what *du sucre* means?

Here are the different words for 'some' (the partitive article):

masculine	***du*** *fromage*
feminine	***de la*** *pâte*
vowel or silent *h*	***de l'****eau*
plural	***des*** *pommes*

French nouns always need an article (e.g. 'the' / 'a' / 'some') in front of them. But when you are translating into English, you don't always need to translate the partitive article.

*Il y a **du** fromage et **des** olives dans la tarte.*
There is cheese and olives in the tart.

The partitive article ('some') (continued)

4 Fill in the correct words for 'some'. The gender of each singular noun is given to help you, unless it starts with a vowel.

1 Dans une tarte aux pommes, il y a ______ sucre (m), ______ pâte (f) et ______ pommes.
2 Dans la bouillabaisse, il y a ______ poisson (m), ______ ail, ______ tomates et ______ fruits de mer.
3 Au petit déjeuner, je prends ______ pain (m), ______ confiture (f) et ______ café (m).
4 Dans mon sac, j'ai ______ cahiers, ______ livres et ______ chocolat (m).

The near future tense (Unit 4, page 38)

You use the near future tense to talk about what is going to happen in the future. It is formed with part of the verb ***aller*** + an **infinitive**.

*je **vais** jouer*	I am going **to play**
*tu **vas** jouer*	you are going **to play**
*il/elle/on **va** jouer*	he/she is going / we are going **to play**
*nous **allons** jouer*	we are going **to play**
*vous **allez** jouer*	you are going **to play**
*ils/elles **vont** jouer*	they are going **to play**
*Je **vais** manger une crêpe.*	I am going **to eat** a pancake.
*Il **va** chanter et danser.*	He is going **to sing** and **dance**.

5 Fill in the correct part of *aller*. Then translate each sentence into English.

1 Je ______ manger du jambon.
2 Elle ______ écouter un groupe de rock.
3 Alex ______ arriver à huit heures.
4 Nous ______ choisir un concert.
5 Est-ce que tu ______ finir tes devoirs?

6 Emily has made a verb mistake in each sentence of her translation homework. Write out each French sentence, correcting her mistake. Note what she has done wrong: is it a, b or c?

a she has missed out part of the verb *aller*
b she has used the wrong part of *aller*
c she has not used the infinitive

1 I am going to watch a film. Je vais regarde un film.
2 She is going to eat a pizza. Elle vais manger une pizza.
3 He is going to visit the market. Il visiter le marché.
4 I am going to finish my homework. Je aller finir mes devoirs.
5 You are going to choose the film. Tu vas choisis le film.

Questions in the near future tense (Unit 5, page 41)

Questions with a question word use a question word + *est-ce que* + verb

Comment est-ce que tu vas voyager?
How are you going to travel?

Que means 'what'.

Qu'*est-ce que tu vas faire?*
What are you going to do?

7 Translate these questions into English.

1 Qu'est-ce que tu vas faire le weekend prochain?
2 Où est-ce que tu vas aller samedi prochain?
3 Comment est-ce que tu vas voyager?
4 Où est-ce que tu vas manger?
5 Qu'est-ce que tu vas manger?
6 Qu'est-ce que tu vas faire à Pâques?

Vocabulaire

Point de départ (pages 30–31)

le premier avril	*the first of April*
le deux / trois / dix avril	*the second / third / tenth of April*
Quelle est ta fête préférée?	*What's your favourite festival?*
J'adore …	*I love …*
J'aime …	*I like …*
Je préfère …	*I prefer …*
Je n'aime pas …	*I don't like …*
Je déteste …	*I hate …*
Noël.	*Christmas.*
Pâques.	*Easter.*
le 14 juillet.	*Bastille Day.*
le Nouvel An.	*New Year.*
la Chandeleur.	*Pancake Day.*
la Saint-Valentin.	*Valentine's Day.*
l'Aïd.	*Eid.*
mon anniversaire.	*my birthday.*
manger du chocolat.	*to eat/eating chocolate.*
acheter des cadeaux.	*to buy/buying presents.*
danser.	*to dance/dancing.*
faire une soirée pyjama.	*to have/having a sleepover.*
aller chez mes cousins.	*to go/going to my cousins' house.*
C'est amusant.	*It is fun.*
C'est commercial.	*It is commercialised.*
C'est nul.	*It is rubbish.*
C'est sympa.	*It is nice.*

Unité 1 (pages 32–33) *C'est carnaval!*

Ma fête préférée, c'est le carnaval.	*My favourite festival is carnival.*
Je retrouve mes copains.	*I meet my friends.*
Je porte un masque et un déguisement.	*I wear a mask and a costume.*
Je regarde la parade.	*I watch the parade.*
J'écoute la musique.	*I listen to the music.*
Je mange une crêpe.	*I eat a pancake.*
Je partage des photos.	*I share photos.*
Sur la photo, il y a un homme.	*In the photo there is a man.*
Sur la photo, il y a un garçon.	*In the photo there is a boy.*
Sur la photo, il y a une femme.	*In the photo there is a woman.*
Sur la photo, il y a une fille.	*In the photo there is a girl.*
Il/Elle est dans une parade.	*He/She is in a parade.*
Il/Elle est dans un parc.	*He/She is in a park.*
Il/Elle danse.	*He/She is dancing.*
Il/Elle regarde la parade.	*He/She is watching the parade.*
Il/Elle mange une glace.	*He/She is eating an ice cream.*
Il/Elle chante.	*He/She is singing.*
Il/Elle porte un déguisement.	*He/She is wearing a costume.*
Il/Elle porte un masque.	*He/She is wearing a mask.*
Je pense qu' …	*I think that …*
il fait beau.	*the weather is fine.*
il fait mauvais.	*the weather is bad.*
il fait chaud.	*it is hot.*
il fait froid.	*it is cold.*

Unité 2 (pages 34–35) *La fête de la musique*

J'attends la fête avec impatience.	*I am looking forward to the festival.*
Je vends des disques vinyles.	*I sell records.*
Je finis à midi.	*I finish at lunchtime.*
Je choisis un groupe de rock.	*I choose a rock group.*
J'écoute un rappeur.	*I listen to a rapper.*
Je préfère la fanfare.	*I prefer the brass band.*
Ma mère chante dans la chorale.	*My mother sings in the choir.*
Mon frère choisit un groupe folk.	*My brother chooses a folk group.*
le matin	*(in) the morning*
l'après-midi	*(in) the afternoon*
le soir	*(in) the evening*

Unité 3 (pages 36–37) *Et avec ça?*

le fromage	*cheese*
le jambon	*ham*
un chou-fleur	*a cauliflower*
un haricot vert	*a green bean*
un melon	*a melon*
un œuf	*an egg*
un oignon	*an onion*
une banane	*a banana*
une pomme	*an apple*
une pomme de terre	*a potato*
une tomate	*a tomato*
un kilo de ...	*a kilo of ...*
un demi-kilo de ...	*half a kilo of ...*
une tranche de ...	*a slice of ...*
Vous désirez?	*What would you like?*
Je voudrais des tomates, s'il vous plaît.	*I'd like some tomatoes, please.*
Et avec ça?	*Anything else?*
C'est tout?	*Is that all?*
Ça fait combien?	*How much is it?*
Ça fait 3€50.	*That's 3 euros fifty.*
Voilà.	*Here you are.*
Merci, bonne journée!	*Thanks, have a nice day!*

Unité 4 (pages 38–39) *Qu'est-ce que tu vas manger?*

Qu'est-ce que tu vas manger pour la fête?	*What are you going to eat for the festival?*
Je vais manger ...	*I am going to eat ...*
une salade niçoise.	*a tuna and olive salad.*
une tarte flambée.	*a pizza-like tart.*
un couscous aux légumes.	*a vegetable couscous.*
une crêpe	*a pancake*
des moules-frites	*mussels and chips*
une quiche lorraine	*a bacon quiche*
du thon	*tuna*
du fromage blanc	*soft white cheese*
de la pâte	*pastry*
des olives	*olives*
des pois chiches	*chickpeas*
des carottes	*carrots*
C'est comment?	*What is it like?*
C'est très bon.	*It is very good.*
C'est délicieux.	*It is delicious.*
C'est savoureux.	*It is tasty.*
C'est un plat typique ...	*It's a typical dish ...*
C'est une spécialité ...	*It's a speciality ...*
du nord de la France.	*of the north of France.*
du sud de la France.	*of the south of France.*
de l'est de la France.	*of the east of France.*
de l'ouest de la France.	*of the west of France.*

Unité 5 (pages 40–41) *Le marché de Noël*

Qu'est-ce que tu vas faire?	*What are you going to do?*
Je vais ...	*I am going ...*
visiter le marché de Noël.	*to visit the Christmas market.*
acheter un cadeau.	*to buy a present.*
admirer les maisons illuminées.	*to admire the illuminated houses.*
écouter des chorales.	*to listen to some choirs.*
manger une tarte flambée.	*to eat a pizza-like tart.*
boire un jus de pomme chaud.	*to drink a hot apple juice.*

Les mots essentiels *High-frequency words*

le matin	*in the morning*
l'après-midi	*in the afternoon*
le soir	*in the evening*
samedi prochain	*next Saturday*
le weekend prochain	*next weekend*
la semaine prochaine	*next week*
demain	*tomorrow*

Stratégie

Spelling and accents

Accents are not optional – spot accents in new words and make sure you remember them when writing.

- The **acute accent** goes uphill ´ (e.g. ***préférée***).
- The **grave accent** goes downhill ` (e.g. ***à***, ***après-midi***).
- The **circumflex** is like a little hat, e.g. *fête*, *Pâques*.
- The **tréma** is two dots, e.g. *Noël*, *Aïd*.
- The **cedilla** occurs under the letter *c*, e.g. ***ça***, ***français***.

Module 3 À loisir

1 Trouve la bonne description de chaque émission.

1

Nouvelle Star

2

La France a un incroyable talent

3

Le meilleur pâtissier

4

Moundir et les apprentis aventuriers

On TV in France you can often see British or American programmes, dubbed into French or subtitled. There are French programmes on British TV too, such as the police thriller *Engrenages* (*Spiral* in English) and *Versailles* (a historical drama about the court of King Louis XIV).

a C'est **une émission de cuisine**, la version française de 'The Great British Bake Off'.

b C'est **une émission de télé-réalité**, comme 'I'm a Celebrity…'.

c C'est **un concours de talents**, la version française de 'Britain's Got Talent'.

d C'est une **émission de musique**, comme 'The Voice'.

2 Lis l'annonce. Quelle est la bonne réponse (a ou b)?

1 C'est une annonce pour …
a la fête nationale. **b** la fête du cinéma.

2 La fête est …
a en été. **b** en hiver.

3 Pour voir un film, ça coûte …
a quatre euros. **b** quatorze euros.

3 Qui est-ce?

- **a** Jean Dujardin, **acteur** français (Oscar du meilleur acteur, pour *l'Artiste,* 2011)
- **b** Marion Cotillard, **actrice** française (Oscar de la meilleure actrice, pour *La vie en rose*, 2007)
- **c** Omar Sy, **acteur** français (César du meilleur acteur, pour *Intouchables*, 2012)
- **d** Louis et Auguste Lumière, **inventeurs** français (inventeurs du cinématographe, 1895)

France has a highly successful film industry. One of the most famous film festivals in the world takes place every May, in Cannes, in the south of France. France also has its own version of the Oscars, called *les César*.

4 Regarde le graphique. C'est quel pays?

Dans ce pays, ...

1. **vingt-cinq pour cent** des jeunes ont accès à Internet.
2. **trente-cinq pour cent** des jeunes ont accès à Internet.
3. **cinquante pour cent** des jeunes ont accès à Internet.
4. **soixante-cinq pour cent** des jeunes ont accès à Internet.

Point de départ

- Talking about TV programmes, actors and actresses
- Using adjective agreement

1 Écoute. Pour chaque personne, note (1–5):

- the opinion(s)
- the letter(s) of the programme(s) that goes with each opinion.

Qu'est-ce que tu aimes à la télé?

Exemple: **1** ✓✓ a, …

a les comédies

b les dessins animés

c les feuilletons

d les infos

e les jeux (télévisés)

f les émissions de cuisine

g les émissions de musique

h les émissions de science-fiction

i les émissions de sport

j les émissions de télé-réalité

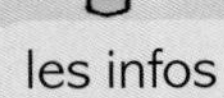 	J'adore … ✓✓
	J'aime … ✓
	Je n'aime pas … ✗
 	Je déteste … ✗✗

2 Read the texts. For each person, write the types of TV programmes, in English, in the correct order from most popular to least popular.

Example: Arnaud: comedies, …

J'aime les émissions de télé-réalité et j'adore les comédies, mais je n'aime pas les dessins animés.
Arnaud

Je déteste les émissions de cuisine, mais j'aime les feuilletons. J'adore les jeux télévisés. Mon émission préférée, c'est *Le Cube*.
Chloé

Je déteste les émissions de science-fiction, mais j'aime les émissions de sport et j'adore les émissions de musique. Mon émission préférée, c'est *Nouvelle Star*.
Yasmina

3 En tandem. Fais une conversation.

- *Qu'est-ce que tu aimes à la télé?*
- *J'aime les feuilletons et j'adore les émissions de musique, mais je n'aime pas les …*

Cognates are usually pronounced differently in French. How do you say these correctly?
télé-réalité *comédies* *musique*
sport *science-fiction*

4 Écoute et écris le bon adjectif ou les bons adjectifs pour chaque personne. Puis traduis tous les adjectifs en anglais. (1–5)

Qui est ton acteur préféré?

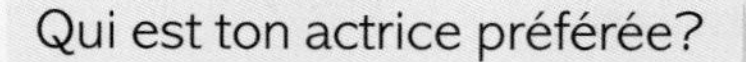

Pourquoi?

1 Emma Watson

2 Chris Hemsworth

3 Danai Gurira

4 John Boyega

5 Scarlett Johansson

a intelligente **b** beau **c** sérieuse **d** arrogante
e drôle **f** modeste **g** belle **h** généreuse

5 Choisis un acteur et une actrice de la liste. Écris des phrases.

Exemple: J'aime Zoe Saldana parce qu'elle est très belle et assez …

1 Zoe Saldana
2 Benedict Cumberbatch
3 Jennifer Lawrence
4 Dwayne Johnson

G

Many adjectives change with masculine and feminine nouns.

	masculine singular	**feminine singular**
most adjectives	*arrogant* *intelligent*	*arrogant**e*** *intelligent**e***
ending in *–e*	*drôl**e*** *modest**e***	*drôl**e*** *modest**e***
ending in *–eux*	*génér**eux*** *séri**eux***	*génér**euse*** *séri**euse***
irregular	***beau***	***belle***

In the masculine form, the final *t* is silent (*Il est arrogant*).
In the feminine form, you pronounce the *t* (*Elle est arrogante*).

Page 72

J'adore J'aime Je n'aime pas Je déteste	Idris Elba	parce qu'il est parce qu'il n'est pas	un peu assez très trop	arrogant/arrogante. généreux/généreuse. (etc.)
	Emma Stone	parce qu'elle est parce qu'elle n'est pas		

6 Écris des phrases. Réponds aux questions.

- Qu'est-ce que tu aimes à la télé?
- Qui est ton acteur/actrice préféré(e)?

Remember to use qualifiers with adjectives when describing actors you like.
assez (quite) *très* (very) *trop* (too) *un peu* (a bit)

Ma vie numérique

- Talking about digital technology
- Forming and answering questions

Écoute et lis le sondage. Note les réponses de Mathilde et de Ryan. (1–5)

Exemple: **1** M – b; R – c

Sondage: la télé et toi!

1 **Quand** est-ce que tu regardes la télé?
Je regarde la télé …
- **a** le matin.
- **b** le soir.
- **c** le weekend.

2 **Où** est-ce que tu regardes la télé?
Je regarde la télé …
- **a** à la maison.
- **b** dans le bus.
- **c** chez mes amis.

3 **Avec qui** est-ce que tu regardes la télé?
Je regarde la télé …
- **a** seul(e).
- **b** avec mes copains.
- **c** avec ma famille.

4 **Qu'**est-ce que tu regardes à la télé?
Je regarde …
- **a** les comédies.
- **b** les feuilletons.
- **c** les émissions de télé-réalité.

5 **Comment** est-ce que tu regardes la télé?
Je regarde la télé …
- **a** à la demande, sur Netflix.
- **b** sur mon portable.
- **c** sur ma tablette.

seul(e) *alone*

Écoute. Écris le bon numéro de la question et la bonne lettre du sondage de l'exercice 1. (1–5)

Exemple: **1** 2, c

G

You can ask questions about a range of subjects by using:
a question word + *est-ce que* + the *tu* form of the verb.

Avec qui *est-ce que tu …?*	**With whom** do you …?
Comment *est-ce que tu …?*	**How** do you …?
Où *est-ce que tu …?*	**Where** do you …?
Quand *est-ce que tu …?*	**When** do you …?
Qu'*est-ce que tu …?*	**What** do you …?

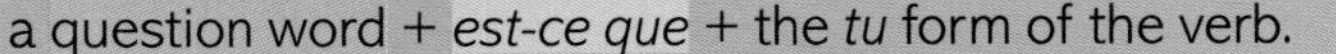

Page 72

En tandem. Pose les questions du sondage à ton/ta camarade.

- *Quand est-ce que tu regardes la télé?*
- *Je regarde la télé le matin. Et toi?*
- *Moi, je regarde la télé le weekend.*

Make sure you pronounce ***qu*** correctly:

*musi**que** ➡ avec **qui**? **quand**?*

*est-ce **que** …?* sounds like 'eske'

***qu**'est-ce que …?* sounds like 'keske'

Remember, your voice should go up at the end of a question!

*Où est-ce **que** tu regardes la télé?*

Lis le texte. Trouve et recopie l'équivalent en français des mots dans les cases.

Exemple: **1** En ce moment

La musique et les jeux

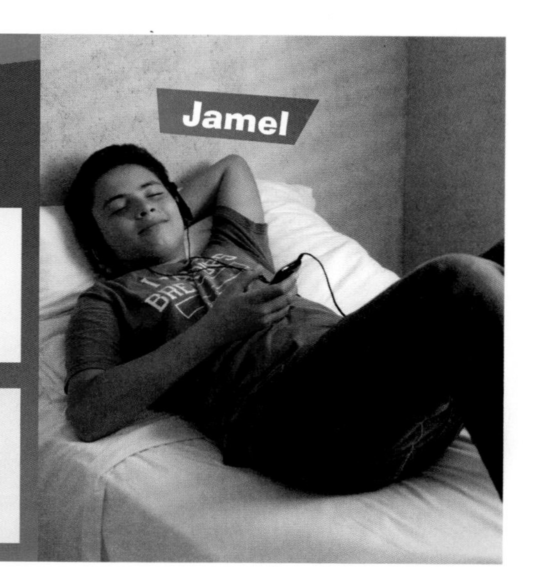

J'écoute <u>tout le temps</u> de la musique! J'écoute de la musique à la maison et dans le bus. <u>Souvent</u>, j'écoute en streaming. Je télécharge aussi des chansons et je crée des playlists. <u>En ce moment</u>, j'écoute beaucoup la musique de George Ezra.

Je joue beaucoup sur ma Xbox. <u>D'habitude</u>, je joue le soir. Je joue contre mon copain Théo, mais <u>parfois</u> je joue contre ma sœur. Mon jeu préféré, c'est *Star Wars Battlefront* parce que j'adore la science-fiction!

1 at the moment | **2** sometimes | **3** often | **4** all the time | **5** usually

Relis le texte. Copie et complète les phrases en anglais.

1 Jamel ______ all the time. He listens at home and on ______.
2 Often, he ______ music. He also ______ songs and creates ______.
3 At the moment, he listens a lot to the music of ______.
4 He plays ______ on his Xbox. Usually, he plays in ______.
5 He normally plays against his ______, but sometimes he plays against his ______.
6 His favourite game is ______ because he ______.

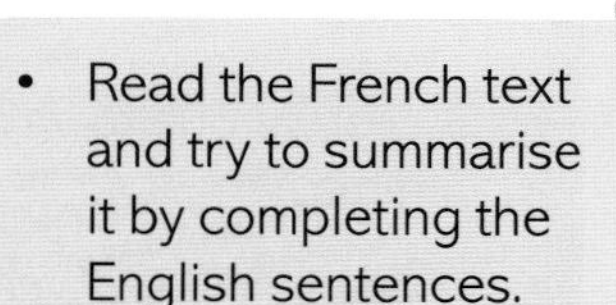

- Read the French text and try to summarise it by completing the English sentences.
- Each gap is different: sometimes you might need a single word for your summary, sometimes a phrase.

Écoute les dialogues et réponds aux questions en anglais. (1–5)

a Are they talking about TV, music or gaming?
b What do they say about it?

Écris un paragraphe au sujet de la musique et des jeux. Réponds aux questions en français.

La musique

- Quand est-ce que tu écoutes de la musique?
  D'habitude, j'écoute …
- Comment est-ce que tu écoutes de la musique?
  Parfois, j'écoute en … / je télécharge …
- Qu'est-ce que tu écoutes?
  En ce moment, j'écoute …

Les jeux vidéo

- Comment est-ce que tu joues?
  Je joue tout le temps sur ma …
- Où est-ce que tu joues?
  Souvent, je joue …
- Avec qui est-ce que tu joues?
  D'habitude, je joue …

2 On va au ciné?

- Arranging to go to the cinema
- Using the 24-hour clock

1 Écoute les clips de musique. À ton avis, c'est quelle sorte de film? (1–5)

- *C'est un film de super-héros! Tu es d'accord?*
- *Oui, je suis d'accord.* 

  Non, je ne suis pas d'accord. 
  C'est un film d'horreur!

Pay attention to the **purple** sounds in the words for films.

 vélo professeur natation

a une comédie

b un film d'animation

c un film d'action

d un film d'horreur

e un film de super-héros

2 Écoute et note les détails en anglais. (1–4)

a type of film
b opinion

- Qu'est-ce que tu vas voir au cinéma?
- Je vais voir (*Les Avengers*).
- C'est quelle sorte de film?
- C'est (un film de super-héros).

Use the near future tense (***aller*** + the **infinitive**) to say what you are going to do.

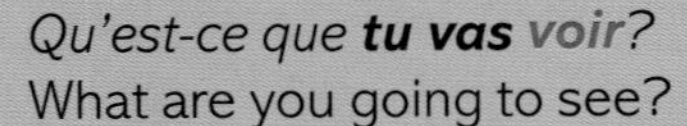

*Qu'est-ce que **tu vas voir**?*
What are you going to see?
*Je **vais voir** un film d'action.*
I am going to see an action film.

3 Listen and read the chat. Then note the letters of the English sentences in the correct order.

Salut, Cédric! Je vais aller au cinéma ce soir. Tu viens?

Désolé. Je ne peux pas ce soir. 

Alors, demain soir?

Oui, je veux bien, merci. Qu'est-ce que tu vas voir?

Je vais voir *Gaston Lagaffe*. C'est une comédie.

Génial! J'adore les comédies!

D'accord. À demain!

a I'm going to see *Gaston Lagaffe*. It's a comedy.
b OK. See you tomorrow!
c Yes, I'd like to, thanks. What are you going to see?
d Hi Cédric. I'm going to go to the cinema this evening. Are you coming?
e Sorry. I can't this evening.
f Great! I love comedies!
g How about tomorrow evening?

4 Écoute et écris la bonne lettre. (1–6)

Rendez-vous à quelle heure?
Rendez-vous à (dix-sept heures) 17:00

Cinema times are usually given in the 24-hour clock.

14:30 ***quatorze*** *heures* *trente* (2.30 p.m.)

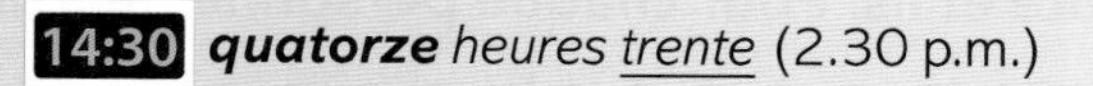

20:45 ***vingt*** *heures* *quarante-cinq* (8.45 p.m.)

5 En tandem. Fais des mini-dialogues. Utilise les images de l'exercice 4.

- *Rendez-vous à quelle heure?*
- *Rendez-vous à* ***dix*** *heures cinquante.*
- *D'accord.*

6 Écoute et lis le dialogue. Note les détails.

a type of film?
b when are they going?
c what time will they meet?

- *Salut! Je vais aller au cinéma cet après-midi. Je vais voir un film d'horreur. Tu viens?*
- *Désolée. Je ne peux pas cet après-midi.*
- *Alors, demain soir?*
- *Oui, je veux bien, merci. Rendez-vous à quelle heure?*
- *Rendez-vous chez moi, à 19h15.*
- *D'accord.*

7 Invente un dialogue. Utilise l'image et adapte le dialogue de l'exercise 6.

You know the phrase for 'a science fiction programme'. How would you say 'a science fiction film'?

ce matin	*this morning*
ce**t** après-midi	*this afternoon*
ce soir	*this evening*
demain matin / après-midi / soir	*tomorrow morning / afternoon / evening*
chez moi	*at my house*
chez toi	*at your house*
au cinéma	*at the cinema*

à	onze heures	quinze
	treize heures	trente
	dix-neuf heures	quarante-cinq

8 En tandem. Fais ton dialogue avec ton/ta partenaire.

3 Quels sont tes loisirs?

- Talking about leisure activities
- Using negatives

French is spoken in more than 20 African countries. Some, like Cameroon, have good internet access and many people own mobile phones. In others, such as the Democratic Republic of Congo, very few people have access to computers or online technology.

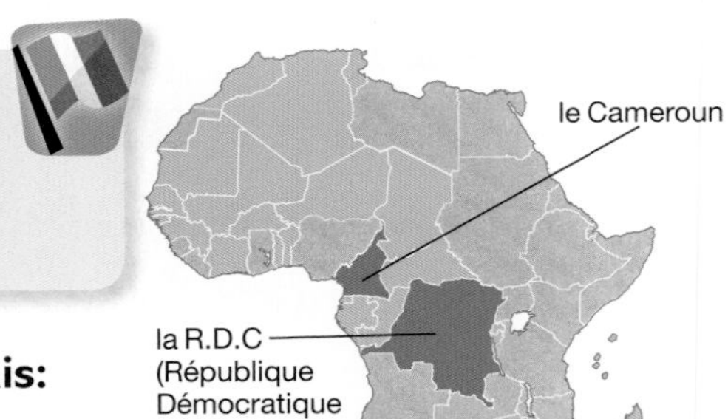

1 Écoute et lis. Pour chaque personne, fais deux listes en anglais:

a which leisure activities he/she does
b what he/she doesn't do or never does.

Les jeunes Africains francophones et les loisirs

Je m'appelle Clarisse. J'habite au Cameroun.

J'ai un smartphone et une tablette.
Je surfe, je tchatte et je blogue.
Je fais des achats en ligne.
Je ne fais pas de sport.
Je ne regarde jamais la télé.
Je ne lis rien.

Je m'appelle Samuel. J'habite en République Démocratique du Congo.

Je joue au foot et je fais du vélo.
Je lis des BD.
Je n'ai pas de portable et je n'ai pas d'ordinateur.
Je ne surfe pas et je ne tchatte pas.
Je ne joue jamais à des jeux vidéo.
Je ne fais rien en ligne!

faire des achats	*to do shopping*
je lis	*I read (**lire** – to read)*

G

Negative expressions go <u>around</u> the verb.

not:	*Je **ne** surfe **pas**.*	I don't surf.
	*Je **n'**ai **pas** de portable.*	I don't have a mobile phone.
never:	*Je **ne** tchatte **jamais**.*	I never chat.
nothing:	*Je **ne** fais **rien**.*	I do nothing / don't do anything.

Remember, ***ne*** shortens to ***n'*** in front of a vowel.

Page 72

2 Écoute les phrases au négatif. Note les détails en anglais. (1–7)

Exemple: **1** never watches TV

3 Copie et complète la traduction en français des phrases en anglais.

1 I **don't** play basketball.
Je ____ joue ____ au basket.

2 I **never** watch the news.
Je ____ regarde ____ les infos.

3 I **don't** have a smartphone.
Je ____ ai ____ de smartphone.

4 I don't do anything. (I do **nothing**.)
Je ____ fais ____.

5 I **never** read comics.
Je ____ lis ____ de BD.

6 I **don't** download music.
Je ____ télécharge ____ de musique.

4 En tandem. Parle de tes loisirs. Utilise les idées dans les cases.

- *Je lis des BD et j'écoute de la musique, mais je* ***ne*** *joue* ***pas*** *au foot. Et toi?*
- *Je joue au tennis et …, mais …*

a 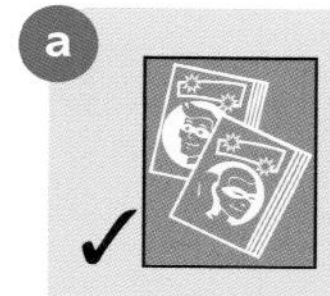 ✓  ✓ 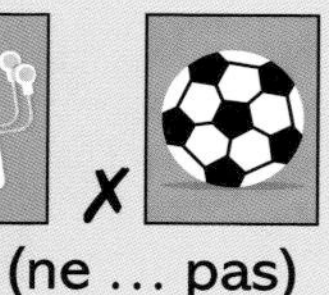 ✗ (ne … pas)

b 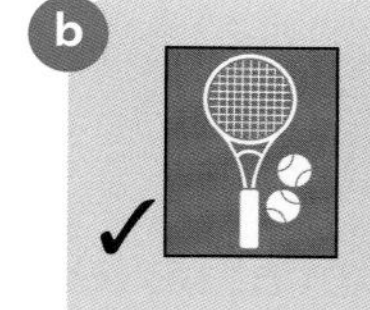 ✓  ✓  ✗ (ne … jamais)

c 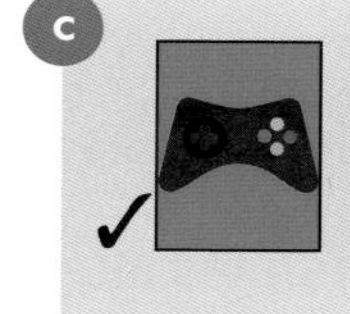 ✓  ✓  ✗ (ne … rien)

5 Copie et complète la description de la photo. Utilise les mots de la case. Attention, il y a deux mots de trop! Puis écoute et vérifie.

Des jeunes au Sénégal

1. Sur la photo, il y a trois ______ et deux garçons.
2. Au centre, il y a un garçon. Il regarde son ______ avec une copine.
3. À gauche, il y a une fille. Elle joue sur sa ______.
4. À droite, il y a un ______. Il n'a pas de portable et il n'a pas de tablette.
5. Il ne fait rien mais il ______ ses amis.

filles | garçon | portable | regarde | vélo | tablette

6 Décris la photo.

G

'His' and 'her' are the same word in French. Like *mon/ma/mes* (my), they change according to the noun:

m. singular	f. singular	plural
mon *portable* (my mobile)	***ma*** *tablette* (my tablet)	***mes*** *amis* (my friends)
son *portable* (his/her mobile)	***sa*** *tablette* (his/her tablet)	***ses*** *amis* (his/her friends)

Sur la photo, il y a … fille(s) / garçon(s).

Au centre	il y a …	Il/Elle …		avec un copain.
À droite	une fille.	regarde	son portable	avec une copine.
À gauche	un garçon.	joue sur	sa tablette	avec ses copains.
				avec ses copines.

Tu as fait des achats?

- Spotting synonyms when listening and reading
- Spotting verbs in the perfect tense in a song

1 Écoute et lis. Mets les images dans le bon ordre. Puis traduis le texte en anglais.

Exemple: d, ...

Samedi dernier, je suis allé au centre commercial.

D'abord, j'ai fait les magasins. J'ai acheté un jean et un tee-shirt.

Ensuite, j'ai mangé un sandwich et j'ai bu un coca.

Puis j'ai fait une promenade dans le parc.

Après, je suis allé au cinéma. J'ai vu une comédie. C'était très drôle!

Romain

a 

b 

c 

d 

e 

f 

2 Read the sentences. Which <u>three</u> mean the same as sentences in exercise 1?

1 J'ai écouté de la musique.

2 J'ai regardé un film comique.

3 J'ai acheté des vêtements.

4 J'ai visité le château.

5 J'ai fait une balade.

6 Je suis allé en vacances.

3 Listen to Amira. Write the letters in the correct order. Then listen again and note an opinion in French for each letter. (1–5)

a J'ai fait du sport.

b J'ai retrouvé mes copains.

c J'ai vu un film.

d J'ai fait une balade.

e J'ai acheté des vêtements.

C'était	amusant. ennuyeux. génial. passionnant. sympa.

TR**A**PS! Watch out for **A**lternative words or synonyms.
There is often more than one way of saying something.
J'ai fait les magasins. → *J'ai fait des achats.*
Before listening to exercise 3, read each sentence carefully and think of **A**lternative ways in which Amira might say the same thing.

Listen and read the rap. Note down five details as you listen. Can you spot two pairs of phrases that mean the same thing?

Au centre commercial

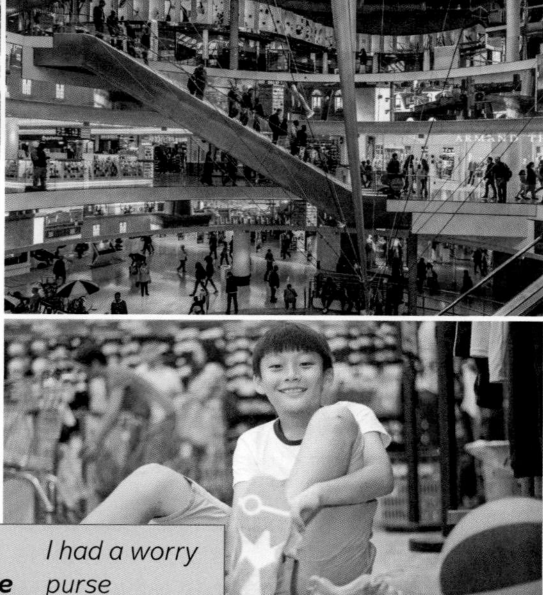

Le weekend dernier, je suis allé
Au centre commercial, c'était vraiment génial!
Samedi matin, j'ai fait les magasins
J'ai trouvé une casquette et une paire de baskets
Puis j'ai fait une balade et j'ai mangé une salade … Miam-miam!

Samedi après-midi, j'ai fait des achats aussi!
J'ai acheté des jeux et un tee-shirt bleu
Puis j'ai bu une limonade et j'ai fait une promenade … Ouf! Ouf!

Samedi soir, je suis allé au cinéma.
J'ai vu un film comique. C'était méga magique!
Mais quand le film a fini, j'ai eu un souci!
Quand j'ai regardé dans mon porte-monnaie
Rien! Zéro! Non, pas un euro!

j'ai eu un souci	*I had a worry*
un porte-monnaie	*purse*

Relis le rap. Corrige l'erreur dans chaque phrase en anglais.

1. On Saturday morning, he bought a cap and a pair of jeans.
2. Then he went for a walk and ate an ice cream.
3. In the afternoon, he bought some games and a black tee-shirt.
4. After having something to drink, he went for a swim.
5. On Saturday evening, he went to see a cartoon at the cinema.
6. When the film finished, he looked in his purse and found he had 10 euros.

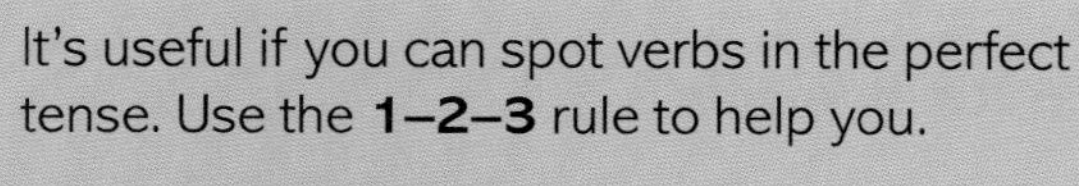

It's useful if you can spot verbs in the perfect tense. Use the **1–2–3** rule to help you.

- Regular *–er* verbs:

1	**2**	**3**	
j'	***ai***	*acheté*	I bought
j'	***ai***	*mangé*	I ate

- Irregular verbs:

1	**2**	**3**	
j'	***ai***	***bu***	I drank
j'	***ai***	***vu***	I saw
j'	***ai***	***fait***	I did

- Verbs which take *être* (not *avoir*) must agree:

1	**2**	**3**	
je	***suis***	*allé(e)*	I went

Page 73

Trouve dans le rap ces verbes au passé composé. Recopie les verbes en français.

Find these perfect tense verbs in the rap and copy them out.

1 I went	**2** I saw	**3** I drank
4 I ate	**5** I looked	**6** I did
7 I found	**8** I bought	

Décris une visite à un centre commercial. Copie et complète les phrases. Écris un paragraphe.

Le weekend dernier, je suis allé(e) au centre commercial.
Samedi matin, j'ai fait … Puis j'ai …
Samedi après-midi, j'ai …
Samedi soir, j'ai … C'était …

5 Ça, c'est la question!

- Creating a chat show interview
- Asking and answering questions in two tenses

1 Lis les questions et les réponses et trouve les paires.

1 Quels **sont** tes loisirs?
2 Qu'est-ce que **tu aimes** voir au cinéma?
3 Qu'est-ce que **tu as regardé** à la télé hier?
4 Qu'est-ce que **tu as fait** le weekend dernier?

a **J'aime** les films de science-fiction mais **je n'aime pas** les films d'action.
b **Je joue** au basket, **je fais** du vélo et **je lis**.
c Le weekend dernier, **j'ai fait** du sport et **je suis allé** au cinéma.
d Hier, **j'ai regardé** les infos et une émission de sport. C'était génial.

TRAPS: look for the **T**ense to help you match the questions and answers.

- Two are in the present tense (what you normally do).
- Two are in the perfect tense (what you did).
- Also look for time expressions as clues: *hier* (yesterday), *le weekend dernier* (last weekend).

2 Écoute et vérifie.

3 Écoute l'interview de Valentine Valmont. Copie et complète le tableau en anglais.

1	leisure activities	listens to music, …
2	likes to see at the cinema	
3	yesterday	
4	last weekend	

G

Make sure you know how to use verbs in the present tense and the perfect tense:

	present tense	**perfect tense**
regular –*er* verbs	*je regarde* (I watch) *je joue* (I play) *j'écoute* (I listen to)	*j'ai regard**é*** (I watched) *j'ai jou**é*** (I played) *j'ai écout**é*** (I listened to)
irregular verbs	*je fais* (I do)	*j'ai fait* (I did)
verbs which take *être* in the perfect tense	*je vais* (I go)	*je suis all**é**(**e**)* (I went)

Page 73

4 En tandem. Pose les questions de l'exercice 1 à ton/ta camarade. Utilise les idées dans le tableau.

- *Quels sont tes loisirs?*
- *Je joue au tennis et j'écoute …, …*

	loisirs	films	hier à la télé	weekend dernier
a				
b				

5 Écoute et lis l'interview. Copie et complète le tableau de l'exercice 3.

- *Bonsoir et bienvenue! Ce soir, j'ai avec moi Maxime Lemont.*
- *Bonsoir!*
- *Quels sont tes loisirs?*
- *Je joue* ***tout le temps*** *au foot! Je lis* ***souvent*** *et* ***parfois*** *j'écoute de la musique.*
- *Qu'est-ce que tu aimes voir au cinéma?*
- *J'adore les films de science-fiction. Mon acteur préféré est John Boyega.*
- *Qu'est-ce que tu as regardé à la télé hier?*
- *Hier, j'ai regardé une émission de musique. C'était amusant.*
- *Qu'est-ce que tu as fait le weekend dernier?*
- *Le weekend dernier, je suis allé au centre commercial.* ***D'abord****, j'ai fait les magasins,* ***puis*** *j'ai mangé une pizza.* ***Après****, j'ai fait une promenade.*
- *Merci, Maxime. Au revoir.*
- *Au revoir!*

6 Relis l'interview de l'exercice 5. Traduis en anglais les mots en gras.

7 En tandem. Invente une interview avec une célébrité. Adapte l'interview de l'exercice 5. Change les détails soulignés. Répète, puis enregistre ton interview ou fais une vidéo.

Make sure you pronounce verbs in different tenses correctly. Remember:

- In the present tense, the final ***–e*** or ***–es*** is silent:
  *Tu aim**es** …? / J'ador**e** … / Je regard**e** …* (etc.)
- But in the perfect tense, you pronounce the ***–é*** on the past participle.
  *J'ai regard**é** … / J'ai mang**é** … / Je suis all**é**(e) …* (etc.)

Bilan

P

I can ...

- say what types of TV programmes I like and dislike: .... *J'adore les comédies. Je déteste les infos.*
- say who my favourite actor/actress is and why: .... *J'aime beaucoup … parce qu'il/elle est …*
- ▪ use correct adjective agreement: .... *Il est **intelligent**. Elle est **intelligente**.*

1

I can ...

- talk about using digital technology: .... *Je regarde la télé à la demande. J'écoute de la musique en streaming.*
- form and answer a range of questions: .... *Où est-ce que tu regardes la télé? Je regarde la télé à la maison.*

2

I can ...

- arrange to go to the cinema: .... *Je vais aller au cinéma ce soir. Tu viens?*
- accept or turn down invitations: .... *Oui, je veux bien. Désolé(e). Je ne peux pas.*
- say when and where to meet: .... *Rendez-vous chez moi, à 19h00.*
- ▪ use the near future tense: .... ***Je vais voir** un film d'action.*

3

I can ...

- talk about leisure activities: .... *Je joue au foot. Je fais du vélo. Je lis des BD.*
- ▪ use different negatives: .... *Je **ne** regarde **jamais** la télé. Je **ne** fais **rien**.*
- ▪ use the correct word for 'his/her': .... ***son** portable / sa tablette / **ses** amis*

4

I can ...

- spot synonyms when listening and reading: .... *J'ai fait une promenade. J'ai fait une balade.*
- spot perfect tense verbs when reading: .... ***J'ai fait** les magasins. **J'ai mangé** une salade.*
- ▪ use the perfect tense: .... ***Je suis allé(e)** au centre commercial. **J'ai acheté** un tee-shirt.*

5

I can ...

- ask questions in the present and perfect tenses: .... *Qu'est-ce que tu aimes voir au cinéma? Qu'est-ce que tu as regardé hier?*
- ▪ use the present and perfect tenses together: .... ***J'aime** les films de science-fiction. **J'ai regardé** un dessin animé.*

Révisions

Ready

1 In pairs. How many types of TV programmes can you list in two minutes?

Example: les émissions de sport, …

2 What does each of the following adjectives mean? They are all in the masculine form. Which ones change in the feminine? How do they change?

drôle | modeste | arrogant | intelligent | généreux | sérieux | beau

3 Write sentences about two actors and two actresses, using the correct form of the adjective. Use the correct word for 'he' or 'she'.

Example: J'adore Daisy Ridley parce qu'elle est intelligente.

4 Copy out this cinema dialogue in the correct order. Then practise the whole thing with your partner.

- *Je vais aller au cinéma ce soir. Tu viens?*
- *Alors, demain soir?*
- *Rendez-vous chez moi à 19h30.*

▪ *D'accord. À demain.*
▪ *Désolé. Je ne peux pas ce soir.*
▪ *Oui, je veux bien, merci. Rendez-vous à quelle heure?*

5 Translate these negative sentences into English.

1 Je ne fais pas de vélo. **2** Je ne lis jamais. **3** Je ne fais rien.

6 Find and copy out the six perfect tense verbs in these sentences. What does each verb mean?

1 Le weekend dernier, je suis allé(e) au centre commercial.

2 D'abord, j'ai fait les magasins.

3 J'ai acheté une paire de baskets.

4 Puis j'ai mangé un sandwich et j'ai bu un coca.

5 Après, j'ai vu un film d'action au cinéma.

Go!

7 What is each of these questions asking you? Translate the questions and write your own answer to each one in French.

1 Comment est-ce que tu regardes la télé?
2 Avec qui est-ce que tu regardes la télé?
3 Où est-ce que tu regardes la télé?
4 Quand est-ce que tu regardes la télé?

8 In pairs. Use the pictures to answer the questions in the present and perfect tenses.

- *Quels sont tes loisirs?*

▪    *Je joue …, j'écoute … et je …*

- *Qu'est-ce que tu as fait le weekend dernier?*

▪    *Le weekend dernier, j'ai fait …, puis, je suis allé(e) … et après, j'ai …*

En focus

Écoute. Samira et Alexia discutent d'une visite au cinéma. Copie et complète le tableau en anglais.

can't go when?	decide to go when?	type of film?	meeting time?

Remember, cinema times are given in the 24-hour clock.

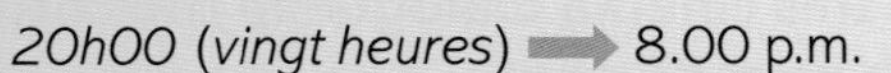

20h00 (*vingt heures*) ➡ 8.00 p.m.

In exercise 1, note down the time using <u>either</u> the 24-hour clock, <u>or</u> the 12-hour clock with a.m./p.m.

Écoute. Qu'est-ce que Raphaël a fait le weekend dernier? Écris les <u>trois</u> bonnes lettres.

a	J'ai visité la cathédrale.
b	J'ai fait des achats.
c	J'ai joué au volleyball.
d	J'ai fait une balade.
e	J'ai mangé un hamburger.
f	J'ai bu une limonade.
g	J'ai vu un film comique.

- Remember the **A** in TR**A**PS! Sometimes, you may hear or read **A**lternative words (synonyms).
- Before listening, look at the answer options and think of other words Raphaël might use to say the same thing.

En tandem. Jeu de rôle. Prépare tes réponses aux questions, puis écoute et fais le jeu de rôle. (1–3)

Say you <u>can't</u> go!
Je ne …

? means <u>you</u> have to <u>ask</u> a question. Ask: What are you going to see?
Qu'est-ce que tu …

Tu parles avec ton ami/amie français(e).

- *Je vais aller au cinéma cet après-midi. Tu viens?*
- *(cet après-midi ✗)*
- *Alors, demain après-midi?*
- *(Film?)*
- *(Listen to the unexpected question.)*
- *!*
- *D'accord. Rendez-vous à quelle heure?*
- *(Heure)*
- *D'accord. À demain.*

Try to answer the unexpected question.

Make up a time! *À …*

4 Description d'une photo. Regarde la photo et prépare tes réponses aux questions.

- *Qu'est-ce qu'il y a sur la photo?*
  - *Sur la photo, il y a une … et deux …*
    À droite, il y a un … Il regarde …
    Au centre, il y a une … Elle parle avec …
- *Qu'est-ce que tu fais en ligne?*
  - *Je joue … / Je regarde … / J'écoute …*
- *Qu'est-ce que tu as fait hier?*
  - *J'ai regardé … / J'ai écouté …*

Remember, there are three words for 'his/her':

masculine singular:	***son** portable, **son** copain*
feminine singular:	***sa** tablette, **sa** copine*
plural:	***ses** amis*

5 Lis le texte et les phrases en anglais. Trouve la bonne émission pour chaque personne et écris l'heure de l'émission.

Exemple: **1** Plus belle la vie – 20:30

mercredi 18 avril

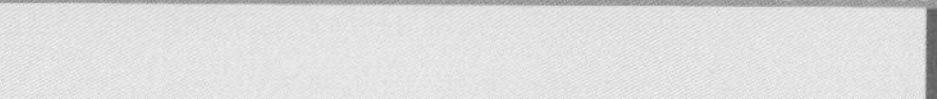

France 3

12:30........**Infos et Éditions des régions**

13:25........**Météo**

14:20........**Cyclisme** En direct de Belgique

15:40........**Rex** Série policière. Les détectives sont sur les traces d'un meutrier.

16:30........**Personne n'y avait pensé!** Jeu animé par Cyril Féraud

17:20........**Slam**

18:00........**Questions pour un champion** Jeu télévisé

19:00........**Infos et Météo**

20:30........**Plus belle la vie** Feuilleton. Jeanne a un visiteur. Elle est stressée.

21:00........**Football en direct** Coupe de France – demi-finale

1. I love soap operas.
2. I like sport but I don't enjoy football.
3. I prefer to watch the news in the evening.
4. I enjoy police drama series.
5. I'd like to watch a game show after 5.30 p.m.
6. I don't want to miss the semi-final match!

6 Traduis les phrases en français.

1. I watch TV and I listen to music.
2. I love comedies, but I don't like game shows.
3. Last weekend, I went to the shopping centre.
4. I bought a T-shirt and then I ate an ice cream

Use the present tense.

Use *les* in front of each noun.

Remember the 1–2–3 rule! Do you need *j'ai* or *je suis?*

7 Réponds aux questions. Écris un paragraphe.

- Qu'est-ce que tu aimes à la télé? *J'adore …, mais je n'aime pas …*
- Comment est-ce que tu regardes la télé? *Je regarde …*
- Quand est-ce que tu écoutes de la musique? *J'écoute …*
- Qu'est-ce que tu as fait le weekend dernier? *J'ai … Je suis …*

En plus

Listen and read the text. How much can you understand? Note down three things the author says.

Aller au cinéma

C'est bien d'aller au cinéma. Bien sûr, on peut voir des films à la maison, mais le cinéma, c'est complètement différent. La première fois que j'ai vu *Casper le fantôme*, pendant les vacances, le cinéma était bourré de monde. Depuis, j'ai regardé le film à la télé et c'était beaucoup moins drôle. Et puis, aller au cinéma, souvent, c'est une surprise. Ça se passe en général un samedi un peu ennuyeux, quand il pleut.

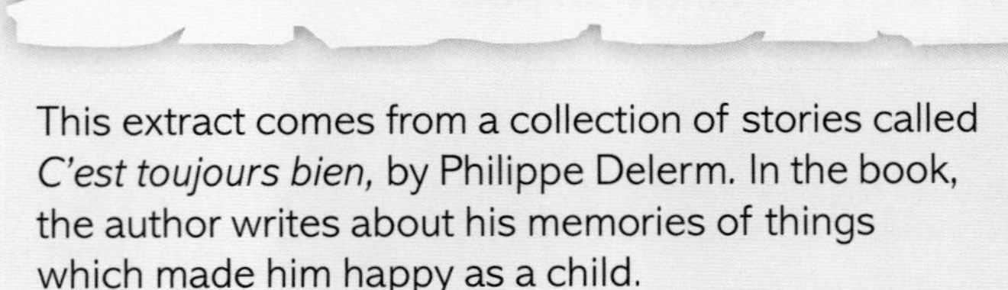
This extract comes from a collection of stories called *C'est toujours bien,* by Philippe Delerm. In the book, the author writes about his memories of things which made him happy as a child.

bourré de monde	*crammed full with people*
moins	*less*
ça se passe	*it happens*

Read the text again. Copy out and translate the underlined words and phrases.

When you come across a new text, skim quickly through it, to get a general idea of what it is about.

- As you do so, try to spot words and phrases you recognise, or can work out the meaning of.
- Then look at the questions you have to answer and read the text again, more slowly, looking at the detail.

Relis le texte de l'exercice 1. Copie et complète les phrases en anglais.

1. The author says it's good to go to …
2. In his opinion, it's completely …
3. He went to see *Casper the Friendly Ghost* during …
4. Since then, he has watched it …
5. He found the film a lot less …
6. Going to the cinema is often …
7. It happens on a Saturday that's a bit …

En groupe de trois ou quatre. Fais une conversation.

- *Tu préfères voir des films au cinéma ou à la télé?*
- *Je préfère voir des films au cinéma parce que c'est plus amusant. Et toi?*
- *Moi, je préfère … parce que …*

plus + adjective	more …
moins + adjective	less / not as …

Adjectives		
amusant	*drôle*	*intéressant*
bien	*ennuyeux*	*passionnant*
difficile	*facile*	*sympa*

Note: After *c'est*, the adjective does not agree with the noun.

5 Listen and read. Can you work out the meaning of the words in bold?

Nom:	Il s'appelle Omar Sy.
Anniversaire:	**Son anniversaire est** le 20 janvier.
Famille:	Il a sept frères et sœurs.
Carrière:	D'abord, Omar a joué dans des comédies à la télé. Ensuite, il a joué dans des films français. Puis **il a joué dans** des films d'action et de science-fiction à Hollywood.
Rôles:	**Il a joué le rôle de** Bishop dans *X-Men: Days of Future Past*, le rôle de Colin Trevorrow dans *Jurassic World* et le rôle de Hot Rod dans *Transformers: The Last Knight*.
Palmarès:	**Il a gagné** le César du **meilleur acteur** pour le film *Intouchables*, en 2012.
Vie privée:	**Il est marié** et **il a cinq enfants**.

6 Relis le texte de l'exercice 5. Copie et complète les détails en anglais.

Name:	Omar Sy
Birthday:	______
Family:	He has ______.
Career:	First of all, he ______. Then he ______. Then he ______.
Roles:	He played ______.
Awards:	He won ______ for ______ in ______.
Private life:	He is ______ and he has ______.

7 Choisis un acteur ou une actrice. Fais des recherches, trouve une photo, puis écris son portrait. Adapte le texte de l'exercice 5.

- Keep it simple and use language you know. For example, you don't know how to say 'he is single', but you could say 'he is not married', by putting *ne/n'* … *pas* around the verb.
- If you choose a female celebrity, remember to use *elle* (she). Note the agreement on: *Elle est marié**e***.
- Note: *son anniversaire* means his birthday or her birthday.
- Use the present tense to describe things which are happening now or ongoing: *Il/Elle s'appelle … Il/Elle a deux sœurs / trois enfants. Il/Elle est marié(e).*
- Use the perfect tense to describe past events: *Il/Elle a joué … Il/Elle a gagné l'Oscar du meilleur acteur/de la meilleure actrice, …*
- Check your writing carefully for correct spelling and accents.

Grammaire

Adjectival agreement (Point de départ, page 55)

1 Use the prompts to write sentences, following the example. Then write two more sentences about an actor or actress of your choice.

Example: **1** J'adore Jodie Whittaker parce qu'**elle** est intelligent**e** et …

1. Jodie Whittaker (intelligent, généreux)
2. Eddie Redmayne (beau, modeste)
3. Lupita Nyong'o (beau, sérieux)
4. Robert Downey Junior (généreux, drôle)

Adjective endings change with masculine and feminine nouns.

	masculine singular	**feminine singular**
most adjectives	*intelligent*	*intelligent**e***
ending in *–e*	*drôl**e***	*drôl**e***
ending in *–eux*	*séri**eux***	*séri**euse***
irregular	***beau***	***belle***

he is … *il est …*
she is … *elle est …*

Forming questions (Unit 1, page 56)

2 Copy and complete the questions. Use the words from the box.

1. ______ est-ce que tu regardes la télé? (How?)
2. ______ est-ce que tu écoutes de la musique? (Where?)
3. ______ est-ce que tu joues à des jeux vidéo? (When?)
4. ______ est-ce que tu regardes à la télé? (What?)
5. ______ est-ce que tu joues? (With whom?)

You can form questions by using a question word + est-ce que + the *tu* form of the verb.
Où est-ce que tu regardes la télé? Where do you watch TV?

Avec qui   Comment   Où   Qu'   Quand

Negatives (Unit 3, page 60)

3 Nolan Négatif is always negative! Read the five statements below, then copy and complete the grid in English.

doesn't …	**never …**	**… nothing**
play football		

1. Je ne joue pas au foot.
2. Je ne regarde jamais la télé.
3. Je ne lis rien.
4. Je ne fais jamais les magasins.
5. Je n'écoute pas de musique.

Negative expressions go around the verb.

not:	*Je **ne** blogue **pas**.*	I don't blog.
	*Je **n'**ai **pas** de tablette.*	I don't have a tablet.
never:	*Je **ne** lis **jamais**.*	I never read.
nothing:	*Je **ne** fais **rien**.*	I do nothing / I don't do anything.

Remember, ***ne*** shortens to ***n'*** in front of a vowel.
After a negative, ***un*/*une*** and ***du*, *de la*, *de l'*** and ***des*** change to ***de***:
*Je ne télécharge pas **de** musique.* (I don't download music.)

The perfect tense (Unit 4, page 63)

4 Copy out Lucie's blog about what she did last weekend, putting the verbs in brackets into the perfect tense. Then translate the whole blog into English.

Example: Le weekend dernier, je suis allée au centre commercial.

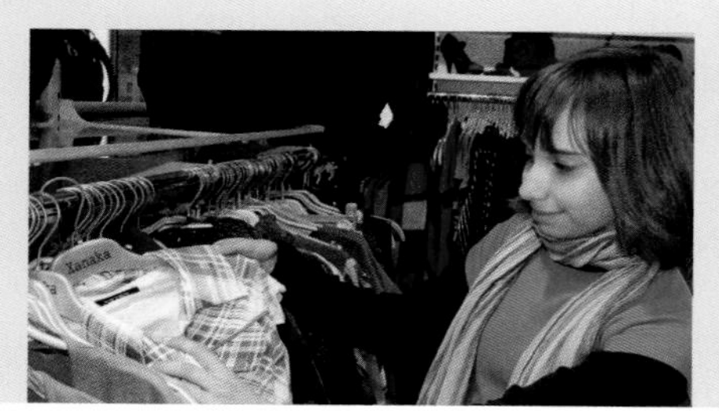

Le weekend dernier, je (aller) au centre commercial. D'abord, j' (faire) les magasins et j' (acheter) une paire de baskets. Ensuite, j' (faire) une balade dans le parc et j' (boire) un jus d'orange. Puis j' (jouer) sur mon portable et j' (écouter) de la musique. Après, je (aller) au cinéma où j' (voir) un film de science-fiction et j' (manger) du popcorn.

You use the perfect tense to say what you did.
There are different kinds of verbs, but they all follow the 1–2–3 rule:

- Regular –***er*** verbs:

1 2 3

*achet**er*** (to buy) → *j'**ai** acheté* (I bought)
*jou**er*** (to play) → *j'**ai** joué* (I played)

- Irregular verbs:

1 2 3

boire (to drink) → *j'**ai bu*** (I drank)
voir (to see) → *j'**ai vu*** (I saw)
faire (to do/make) → *j'**ai fait*** (I did)

- Verbs which take *être* (not *avoir*) must agree:

1 2 3

aller (to go) → *je **suis** allé(e)* (I went)

Using the present and perfect tenses together (Unit 5, page 64)

5 Copy and complete the sentences, using the correct tense of the verb in brackets. Choose from the verbs below.

Example: Normalement, je joue au foot, mais hier, j'ai joué au tennis.

1 Normalement, ____ au foot, mais hier, ____ au tennis. (to play)
2 Normalement, ____ un sandwich, mais hier, ____ des crêpes. (to eat)
3 Normalement, ____ à la piscine, mais hier, ____ dans la mer. (to swim)
4 Normalement, ____ un feuilleton, mais hier, ____ une comédie. (to watch)
5 Normalement, ____ une promenade, mais hier, ____ du vélo. (to do)
6 Normalement, ____ au cinéma, mais hier, ____ au théâtre. (to go)

- Use the **present tense** to say what you normally do.
  *Normalement, **je regarde** les infos.*
  (Normally, I watch the news.)
- Use the **perfect tense** to say what you did.
  *Hier, **j'ai regardé** une comédie.*
  (Yesterday, I watched a comedy.)

j'ai nagé | je regarde | je suis allé(e) | je joue
j'ai fait | j'ai joué | je mange | je vais
j'ai mangé | je nage | j'ai regardé | je fais

Vocabulaire

Point de départ (pages 54–55)

Qu'est-ce que tu aimes à la télé?	*What do you like on TV?*
J'adore …	*I love …*
J'aime …	*I like …*
Je n'aime pas …	*I don't like …*
Je déteste …	*I hate …*
les comédies.	*comedies.*
les dessins animés.	*cartoons.*
les feuilletons.	*soaps.*
les infos.	*the news.*
les jeux (télévisés).	*gameshows.*
les émissions de cuisine.	*cookery programmes.*
les émissions de musique.	*music programmes.*
les émissions de sport.	*sports programmes.*
les émissions de science-fiction.	*science fiction programmes.*
les émissions de télé-réalité.	*reality programmes.*
Mon émission préférée, c'est …	*My favourite programme is …*
Qui est ton acteur préféré?	*Who is your favourite actor?*
Qui est ton actrice préférée?	*Who is your favourite actress?*
J'aime (Emma Stone)	*I like (Emma Stone)*
Je n'aime pas (Idris Elba)	*I don't like (Idris Elba)*
parce qu'il est …	*because he is …*
parce qu'elle est …	*because she is …*
parce qu'il n'est pas …	*because he isn't …*
parce qu'elle n'est pas …	*because she isn't …*
intelligent(e)	*intelligent*
drôle	*funny*
modeste	*modest*
généreux/généreuse	*generous*
beau/belle	*good-looking*
arrogant(e)	*arrogant*
sérieux/sérieuse	*serious*
un peu	*a bit*
assez	*quite*
très	*very*
trop	*too*

Unité 1 (pages 56–57) *Ma vie numérique*

Quand est-ce que tu regardes la télé?	*When do you watch TV?*
le matin	*in the morning*
le soir	*in the evening*
le weekend	*at the weekend*
Où est-ce que tu regardes la télé?	*Where do you watch TV?*
à la maison	*at home*
dans le bus	*on the bus*
chez mes amis	*at my friends' house*
Avec qui est-ce que tu regardes la télé?	*Who do you watch TV with?*
seul(e)	*alone*
avec ma famille	*my family*
avec mes copains	*with my friends*
Qu'est-ce que tu regardes à la télé?	*What do you watch on TV?*
Je regarde (les feuilletons).	*I watch (soaps).*
Comment est-ce que tu regardes la télé?	*How do you watch TV?*
sur ma tablette	*on my tablet*
à la demande, sur Netflix	*on demand, on Netflix*
J'écoute de la musique en streaming.	*I stream music.*
Je télécharge des chansons.	*I download songs.*
Je crée des playlists.	*I create playlists.*
J'écoute la musique de …	*I listen to the music of …*
Je joue sur ma Xbox.	*I play on my Xbox.*
Je joue contre mon frère.	*I play against my brother.*
Mon jeu préféré, c'est ...	*My favourite game is ...*

Unité 2 (pages 58–59) *On va au ciné?*

Je vais aller au cinéma ce soir.	*I'm going to go to the cinema this evening.*
Je vais voir …	*I'm going to see …*
une comédie.	*a comedy.*
un film d'animation.	*an animated film.*
un film d'action.	*an action film.*
un film d'horreur.	*a horror film.*
un film de science-fiction.	*a sci-fi film.*
un film de super-héros.	*a superhero film.*
Tu viens?	*Are you coming?*
Oui, je veux bien, merci.	*Yes, I'd like to, thanks.*
Désolé(e). Je ne peux pas ce soir.	*Sorry. I can't this evening.*
Rendez-vous à quelle heure?	*When shall we meet?*
Rendez-vous (chez moi) à (19h00).	*Let's meet at (my house) at (7 pm).*

Unité 3 (pages 60–61) *Quels sont tes loisirs?*

J'ai un smartphone.	*I have a smartphone.*
Je surfe.	*I surf.*
Je blogue.	*I blog.*
Je tchatte.	*I chat.*
Je fais des achats en ligne.	*I do online shopping.*
Je joue au foot.	*I play football.*
Je fais du vélo.	*I go cycling.*
Je lis des BD.	*I read comic books.*
Je n'ai pas de portable.	*I don't have a phone.*
Je n'ai pas d'ordinateur.	*I don't have a computer.*
Je ne fais pas de sport.	*I don't do any sport.*
Je ne regarde jamais la télé.	*I never watch TV.*
Je ne joue jamais à des jeux vidéo.	*I never play video games.*
Je ne lis rien.	*I don't read anything.*
Je ne fais rien en ligne.	*I don't do anything online.*
Sur la photo, il y a 2 filles et 2 garçons.	*In the photo, there are 2 girls and 2 boys.*
À droite … / À gauche …	*On the right … / On the left …*
Il regarde son portable.	*He is looking at his phone.*
Elle joue à des jeux vidéo.	*She is playing video games.*
Elle écoute de la musique sur sa tablette.	*She is listening to music on her tablet.*
avec un copain / une copine	*with a friend*

Unité 4 (pages 62–63) *Tu as fait des achats?*

Je suis allé(e) au centre commercial.	*I went to the shopping centre.*
J'ai fait les magasins. / J'ai fait des achats.	*I went shopping.*
J'ai acheté un tee-shirt.	*I bought a tee-shirt.*
J'ai mangé un sandwich.	*I ate a sandwich.*
J'ai bu une limonade.	*I drank a lemonade.*
J'ai fait une balade. / J'ai fait une promenade.	*I went for a walk.*
Je suis allé(e) au cinéma.	*I went to the cinema.*
J'ai vu un film comique. / J'ai vu une comédie.	*I saw a comedy.*

Unité 5 (pages 64–65) *Ça, c'est la question!*

Quels sont tes loisirs?	*What are your hobbies?*
Je joue au basket.	*I play basketball.*
Qu'est-ce que tu aimes voir au cinéma?	*What do you like to see at the cinema?*
J'aime les films d'action.	*I like action films.*
Qu'est-ce que tu as regardé à la télé hier?	*What did you watch on TV yesterday?*
Hier, j'ai regardé une émission de sport.	*Yesterday, I watched a sports programme.*
Qu'est-ce que tu as fait le weekend dernier?	*What did you do last weekend?*
Le weekend dernier, j'ai fait du sport.	*Last weekend, I did some sport.*

Les mots essentiels *High-frequency words*

Possessive adjectives

mon/ma/mes .... *my*
ton/ta/tes .... *your*
son/sa/ses .... *his/her*

Negatives

ne … pas .... *not*
ne … jamais .... *never*
ne … rien .... *nothing*

Module 4 Le monde est petit

1 C'est quel continent?

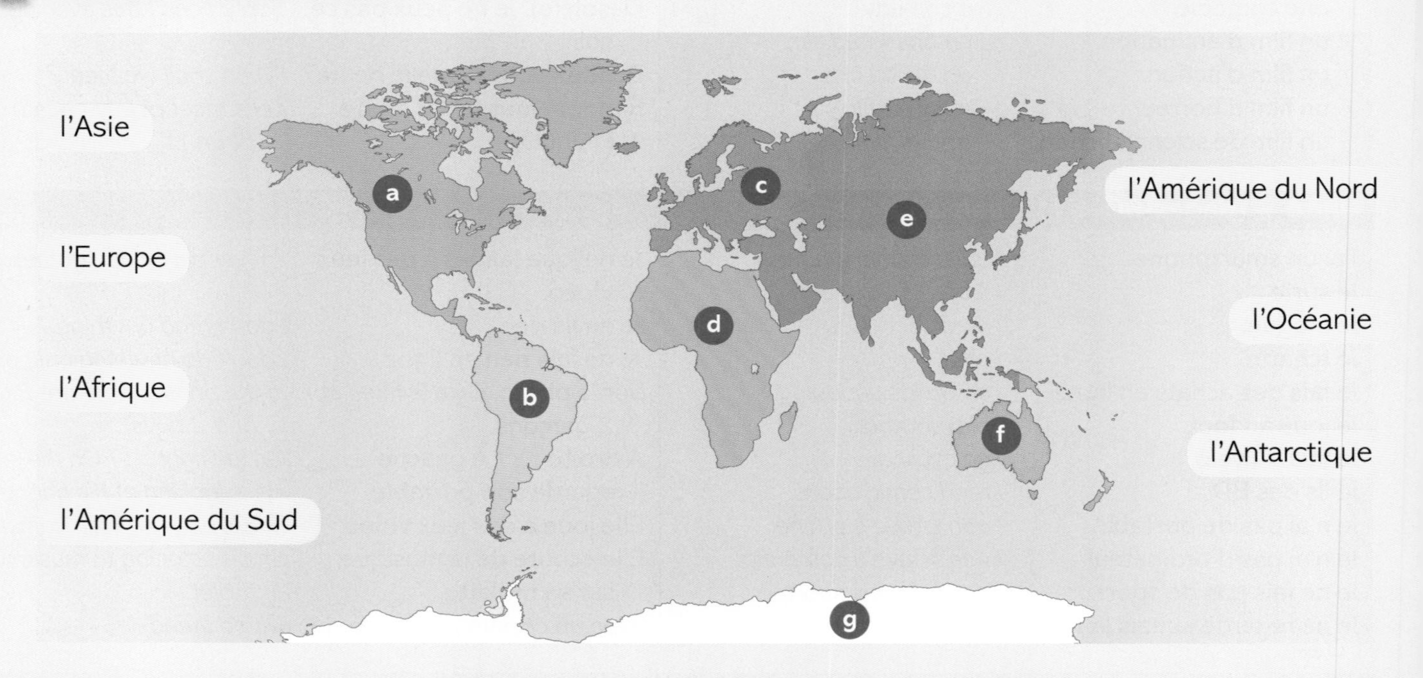

2 Identifie le pays francophone et le continent.

le Canada
la France
le Mali

l'Europe
l'Afrique
l'Amérique du Nord

3 Ces villes et ces villages en France sont célèbres. Pourquoi?

1 **Camembert** est connu pour …

2 **Val d'Isère** est connu pour …

3 **Cannes** est connue pour …

4 **Giverny** est connue pour …

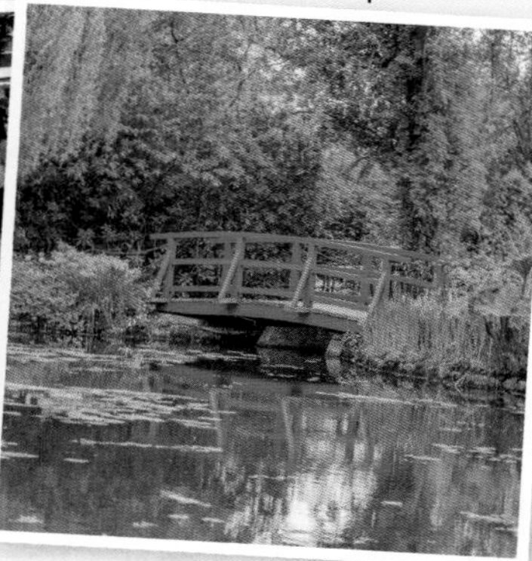

a le ski **b** le fromage **c** les jardins de Monet **d** le Festival du film

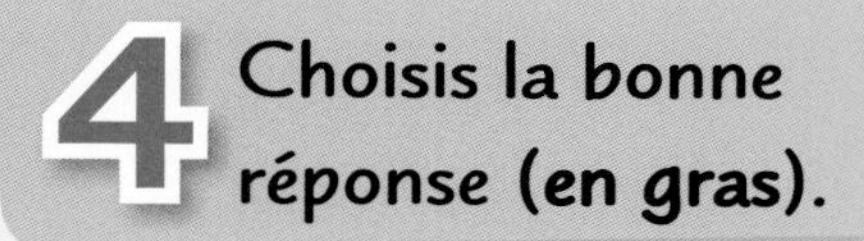

4 Choisis la bonne réponse (en gras).

France has some amazing natural and manufactured features.

- About 50,000 people pass through the Channel Tunnel every day.
- The *viaduc de Millau* is the world's tallest bridge.
- *La dune du Pilat* is the highest sand dune in Europe.

1 Le tunnel sous la Manche a été construit en **1894 / 1954 / 1994**.

2 Le viaduc de Millau mesure **33 / 343 / 3030** mètres de haut.

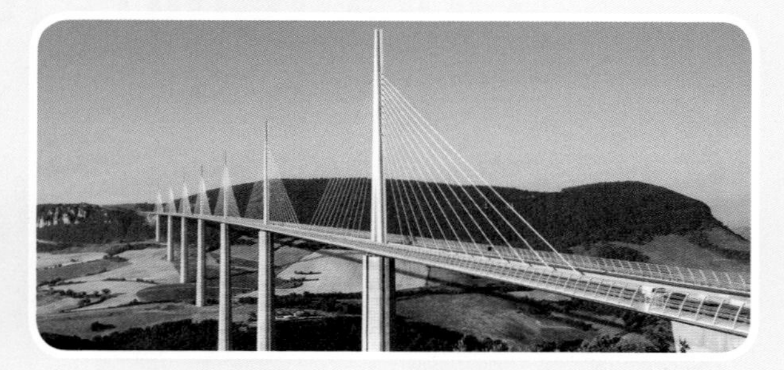

3 Le Mont Blanc est la montagne la plus haute **d'Angleterre** / **de France** / **d'Europe**.

la plus haute *the highest*

4 La dune du Pilat mesure **10 / 50 / 110** mètres de haut.

Point de départ

- Talking about where you live
- Describing the weather

Écoute les interviews avec les touristes à Paris et note les bonnes lettres. (1–6)

Où habites-tu? J'habite …		
a dans un village 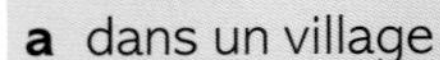	**d** à la campagne  	**g** en France 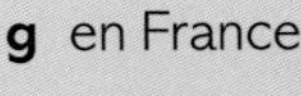 
b dans une ville	**e** à la montagne	**h** en Suisse 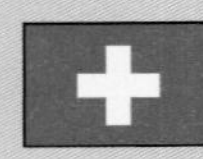
c dans une grande ville	**f** au bord de la mer	**i** au Maroc 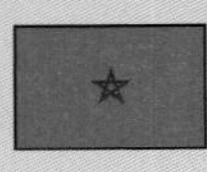

- in: *dans* (***dans** un village*)
- in + feminine country: *en* (***en** France)*
- in + masculine country: *au* (***au** Maroc)*
- other expressions: ***à la** campagne* (in the country), ***en** ville* (in town)

In pairs. Write a sentence in secret using one phrase from each column of the table in exercise 1. Take turns to guess each other's sentence.

- *Où habites-tu?*
- *J'habite dans une ville au bord de la mer au Maroc.*
- *Non, ce n'est pas correct!*
- *J'habite dans une ville au bord de la mer en France.*
- *Oui. C'est correct.*

Lis et identifie la bonne description pour chaque photo. Puis écoute et vérifie.

Quel temps fait-il sur la photo?

1 

2 

3 

a Sur la photo, il fait mauvais. Il pleut et il y a du vent.
b Sur la photo, il neige et il fait froid.
c Sur la photo, il fait beau. Il fait chaud et il y a du soleil.

Watch out for silent consonants at the end of *fait*, *mauvais*, *froid*, *pleut*, *soleil* and *vent.*

4 En tandem. Pour chaque photo, pose la question et réponds.

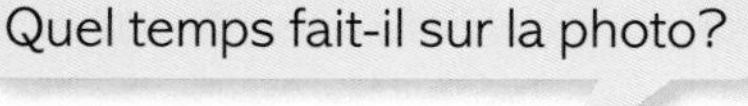
Quel temps fait-il sur la photo?

Il fait beau.
Il fait mauvais.
Il fait chaud.
Il fait froid.
Il y a du vent.
Il y a du soleil.
Il pleut.
Il neige.

5 Écoute et lis les opinions. C'est positif (P) ou négatif (N)?

1 C'est nul.
2 C'est très tranquille.
3 C'est trop tranquille.
4 C'est ennuyeux.
5 C'est animé.
6 C'est trop animé.
7 C'est calme.
8 C'est vraiment joli.

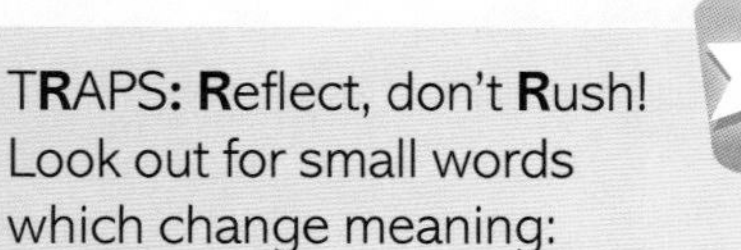
T**R**APS**: R**eflect, don't **R**ush!
Look out for small words which change meaning:
*C'est **très** animé.*
It's **very** lively. (positive)
*C'est **trop** animé.*
It's **too** lively. (negative)

6 Lis le forum. Copie et complète le tableau en anglais.

	lives	opinion	weather (summer)	weather (winter)
1	small village ...			

Où habites-tu?

KikiDo

J'habite dans un petit village à la campagne en Tunisie. C'est trop tranquille et c'est ennuyeux. Il fait chaud en été et il y a du soleil en hiver aussi.

Susie453

J'habite dans une grande ville en Suisse. C'est vraiment animé et c'est très joli. En été, il fait beau mais il pleut souvent aussi. En hiver il fait froid.

3 **Raoul19**

J'habite dans une ville à la montagne au Canada. C'est nul en hiver. En été il y a du soleil et il fait chaud mais en hiver il neige et il fait trop froid.

en été	*in summer*
en hiver	*in winter*

7 Écris un texte pour le forum de l'exercice 6 sur ton village / ta ville. Réponds aux questions.

- Où habites-tu? *J'habite …*
- C'est comment? *C'est …*
- Quel temps fait-il en été? *En été …*
- Quel temps fait-il en hiver? *En hiver …*

1 Elle est comment, ta région?

- Describing where you live
- Using *pouvoir* + infinitive

1 Lis l'article et réponds aux questions en anglais.

Qu'est-ce qu'on peut faire dans ta région?

J'habite en Dordogne. Dans ma région, **on peut visiter des grottes** et **on peut faire du canoë-kayak**.

J'habite en Savoie. Dans ma région, **on peut faire des randonnées** en été et **on peut faire du ski** en hiver.

J'habite en Bretagne. Dans ma région, **on peut visiter des monuments historiques, on peut aller** à la plage et **on peut manger des crêpes**: miam-miam!

on peut *you can*

Where can you ...?

1 go canoeing
2 go skiing
3 visit historic monuments
4 go to the beach
5 go walking
6 eat pancakes
7 visit caves

The pronoun *on* often means 'we', but it can also mean 'you' when talking about people in general. E.g. ***On*** *peut visiter des grottes.* **You** can visit caves.

2 Écoute et note en anglais les deux activités possibles.

1 en Normandie
2 en Provence
3 en Alsace

Dans ma ville, Dans ma région,	**on peut**	visiter	des monuments historiques des grottes / le marché.
		faire	du ski / du canoë-kayak des randonnées / les magasins.
		aller	au cinéma / à la plage.
		manger	des crêpes / du fastfood.

3 En tandem. Lis la conversation à haute voix. Puis répète la conversation et change les mots soulignés.

- *Qu'est-ce qu'on peut faire dans ta région?*
- *Dans ma région, on peut visiter les monuments historiques et on peut faire les magasins.*

1 visit historic monuments, go shopping	2 visit caves, go to the beach
3 go for walks, visit market	4 go to the cinema, eat fast food

Écoute et identifie la bonne région. (1–4)

✓ Il y a **des**	champs / lacs.
✓✓ Il y a **beaucoup de**	bâtiments / touristes.
	forêts / montagnes.
✗ Il **n'**y a **pas de**	plages / voitures.

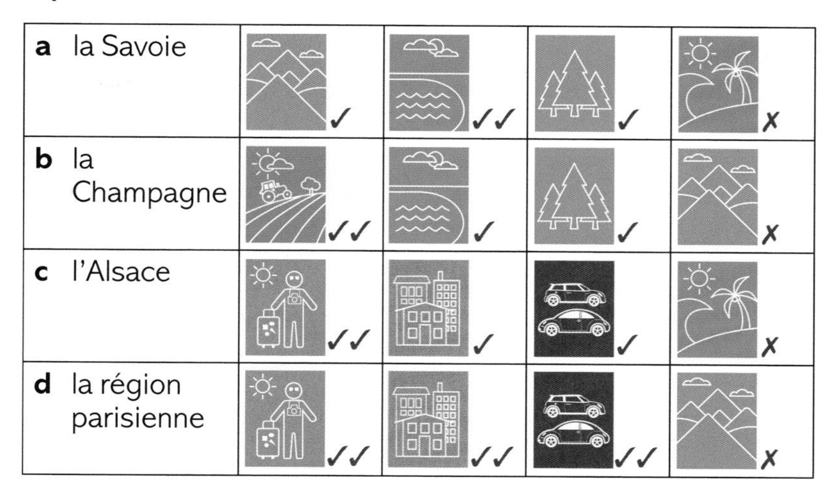

a la Savoie	✓	✓✓	✓	✗
b la Champagne	✓✓	✓	✓	✗
c l'Alsace	✓✓	✓	✓	✗
d la région parisienne	✓✓	✓✓	✓✓	✗

En tandem. Réponds à la question pour une région de l'exercice 4. Ton/Ta partenaire identifie la bonne région.

- *Elle est comment, ta région?*
- *Dans ma région, il y a beaucoup de champs **et** il y a des lacs. Il y a **aussi** des forêts **mais** il n'y a pas de montagnes.*
- *C'est la Champagne.*

Écris tes réponses aux questions sur ta région.

a Qu'est-ce qu'on peut faire dans **ta** région?
Dans ma région, on peut …

b Elle est comment, **ta** région?
Il y a beaucoup de … mais …

Écoute et lis l'article. Puis complète la traduction anglaise.

G

pouvoir (to be able to) is an irregular modal verb. It is usually followed by an **infinitive**.

je peux	I can
tu peux	you can
il/elle/on peut	he/she/we can
nous pouvons	we (people) can
vous pouvez	you can
ils/elles peuvent	they can
*On peut **cultiver** le coton.*	You can **grow** cotton.

ne … pas around *pouvoir* makes it negative:

*Je **ne** peux **pas** **aller** à l'école.* — I **can't go** to school.

How many examples of *pouvoir* + infinitive can you find in the text in exercise 7?

Page 96

J'habite à la campagne au Mali. Dans ma région, il y a beaucoup de champs et on peut cultiver le coton.

Pendant la saison sèche, il fait très chaud et il ne pleut pas. On ne peut pas travailler dans les champs. Je peux aller à l'école.

Pendant la saison des pluies, je peux travailler dans les champs et ma mère peut vendre des légumes au marché. Mais souvent je ne peux pas aller à l'école.

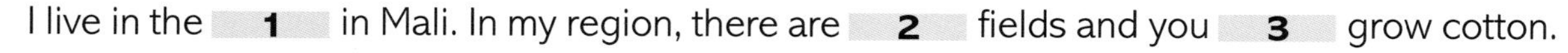

I live in the **1** in Mali. In my region, there are **2** fields and you **3** grow cotton.

During the dry season, it is very **4** and it doesn't rain. You **5** work in the fields. I can **6** to school.

During the **7** season, I can work in the **8** and my mother can **9** vegetables at the market. But often I **10** go to school.

Qu'est-ce que tu dois faire à la maison?

- Talking about how you must help at home
- Using *devoir* + infinitive

Écoute. Note les bonnes lettres. (1–6)

Qu'est-ce que tu dois faire à la maison?

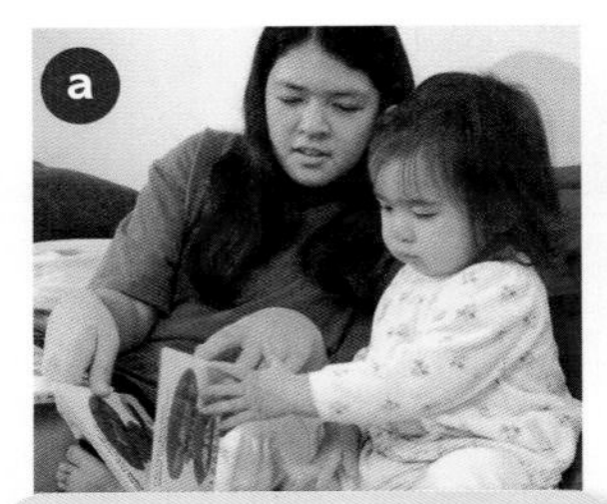

a Je dois garder le bébé.

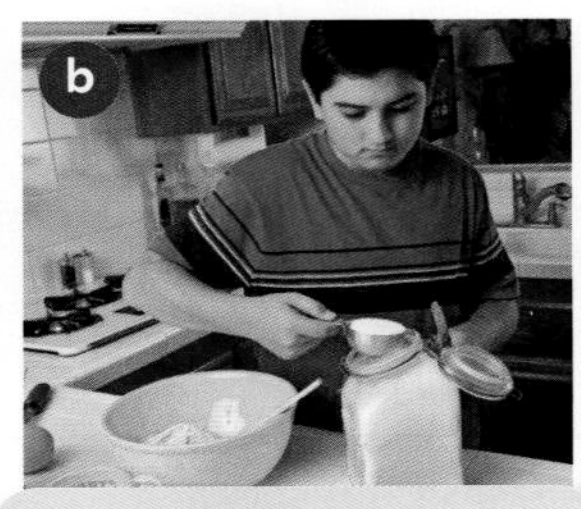

b Je dois faire la cuisine.

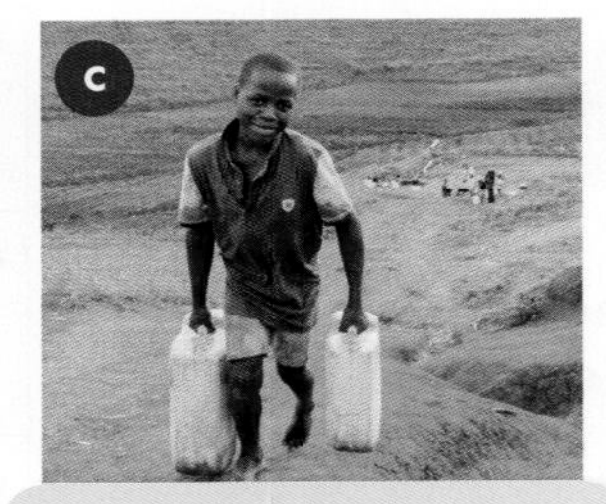

c Je dois rapporter l'eau.

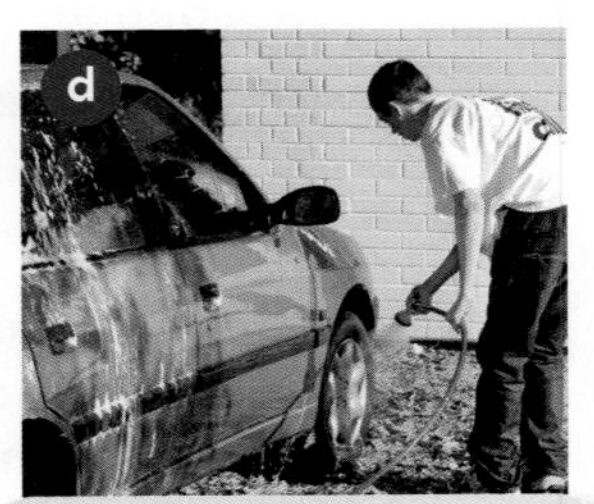

d Je dois laver la voiture.

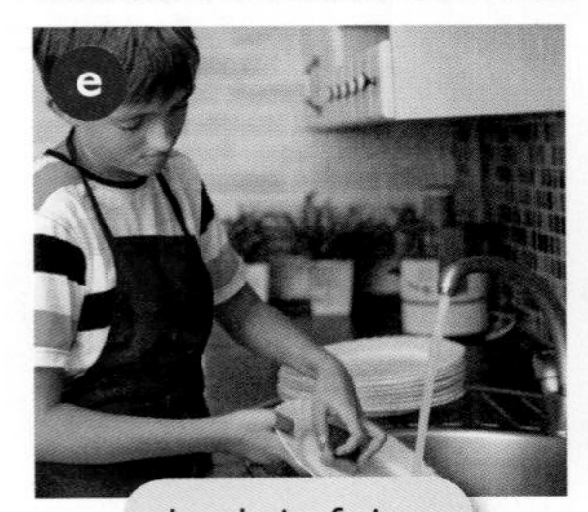

e Je dois faire la vaisselle.

f Je dois ranger ma chambre.

g Je ne fais rien.

h Je dois nourrir le chien.

When you pronounce *dois*, use the ***oi*** sound from *poisson* and don't pronounce the final –***s***.

In pairs. Write down one of the sentences from exercise 1. Take turns to ask questions to identify your partner's sentence. Who is first to guess correctly?

- *Est-ce que tu dois laver la voiture?*
- *Non!*

Or

- *Oui, je dois laver la voiture!*

Watch out for these questions:

Est-ce que tu dois ranger ***ta*** *chambre?*
Do you have to tidy **your** room?

Est-ce que ***tu ne fais rien****?*
Do you **do nothing**?

Écoute. Copie et complète le tableau en anglais. (1–5)

	job(s)	when? / how often?
1		

tous les jours	le weekend
souvent	le lundi / le mardi / …
quelquefois	

devoir (to have to / must) is an irregular modal verb.

je dois	I must
tu dois	you (singular) must
il/elle / on doit	he/she / we must
nous devons	we must
vous devez	you (plural or polite) must
ils/elles doivent	they must
Elle ***doit*** *faire la cuisine.*	She **must** do the cooking.

Putting ***ne … pas*** around *devoir* makes it negative.

On ***ne*** *doit* ***pas*** *polluer l'eau.* We **must not** pollute the water.

Page **96**

Read the text and predict the word for each gap. Then listen and check.

Coucou! J'habite avec ma **1** . Je dois ranger ma **2** tous les jours et puis, je dois **3** la vaisselle. Le weekend, je dois **4** la voiture. Quelquefois ma sœur doit faire la **5** et elle doit nourrir les **6** . Mais mon **7** ne fait rien à la maison. Je pense que ce n'est pas juste.

Écris puis enregistre un podcast sur cette question: Est-ce que tu dois aider à la maison?

Tous les jours Souvent Quelquefois Le weekend	je doi**s**	ranger ma chambre. laver la voiture. garder le bébé. nourrir le chien / les poissons. faire la cuisine / la vaisselle.
Je ne fai**s** rien.		
Je pense que	c'est juste. ce n'est pas juste.	

You could add extra information about your brothers and sisters:

*Ma sœur doi**t** ranger **sa** chambre.*

*Mon frère doi**t** …*

*Mon frère ne fai**t** rien.*

*Ma sœur ne fai**t** rien.*

Lis l'article. Puis lis les phrases et note la bonne personne.

a Thao **b** Thao's mother **c** Ghazal **d** Ghazal's sister

Ils vivent autrement …

J'habite dans un village flottant au Viêtnam avec ma famille. Je dois aller à l'école en bateau. Ma mère doit faire la lessive dans la rivière. Mais elle ne doit pas polluer l'eau. Elle doit protéger l'environnement. **Thao**

Moi, je dois habiter dans un camp de réfugiés au Liban parce que c'est trop dangereux à la maison. Le matin, je dois rapporter l'eau. Après l'école, ma sœur doit faire la cuisine et moi, je dois faire la vaisselle. **Ghazal**

Who must …?

1. live in a refugee camp
2. do the cooking
3. go to school by boat
4. do the washing-up
5. do the washing in the river
6. protect the environment
7. bring water every morning
8. not pollute the water

la lessive *the washing*

TRAP**S**: in exercise 6 it's important to spot the **S**ubject – the person doing the activity.

Check for:

- family members mentioned
- pronouns like *il* and *elle*
- the verb ending – *dois* or *doit*.

3 Ma routine, ta routine

- Talking about daily routine
- Using reflexive verbs

Écoute et note l'activité en anglais. Écoute encore une fois et note la bonne heure. (1–7)

1 
Je me lève.

2 
Je me couche.

3 
Je me douche.

4 
Je m'habille.

5 
Je me coiffe.

6 
Je me lave les dents.

7 
Je prends le petit déjeuner.

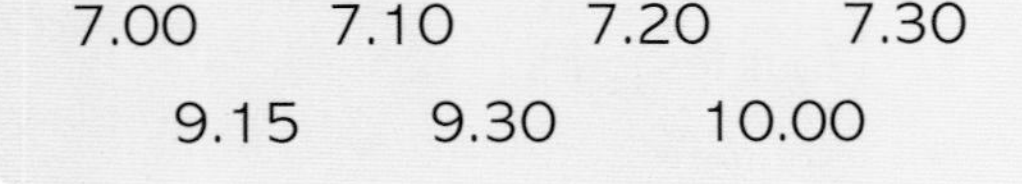
7.00 7.10 7.20 7.30
9.15 9.30 10.00

(sept) heures …
… et quart
… moins le quart
… et demie
… cinq / dix / vingt / vingt-cinq
… moins cinq / dix / vingt / vingt-cinq

Écoute les conversations et choisis les bonnes réponses pour Amandine et Jakob.

Exemple: Amandine: 1 b, 2 …

1 À quelle heure est-ce que tu te lèves?
Je me lève à …
a 7h. **b** 7h30. **c** 8h15. **d** 8h45.

2 Où est-ce que tu prends le petit déjeuner?
Je prends le petit déjeuner …
a dans la cuisine. **b** dans le salon. **c** au collège.

3 À quelle heure est-ce que tu te couches?
Je me couche à …
a 22h. **b** 22h30. **c** minuit.

En groupe. Sondage. Pose les questions de l'exercice 2 à tes copains. Réponds à ton tour.

- *À quelle heure est-ce que tu te lèves?*
- *Moi, je me lève à …*
- *Où est-ce que tu prends le petit déjeuner?*
- …

G

Some verbs are reflexive: there is a **reflexive pronoun** before the verb.

se coucher	to go to bed
*je **me** couche*	I go to bed
*tu **te** couches*	you (singular) go to bed
*il/elle **se** couche*	he/she goes to bed
*on **se** couche*	we go to bed
*nous **nous** couchons*	we go to bed

me**, **te and ***se*** change to ***m'**, **t'*** or ***s'*** before a vowel or *h*.

*je **m'**habille*	I get dressed

Can you spot which verb in exercises 1 and 2 is not a reflexive verb?

Page **97**

Écrire 4

Traduis les phrases en français.

1 I get up at seven o'clock.
2 I have breakfast in the living room.
3 I have a shower at quarter past seven.
4 I do my hair and I brush my teeth.
5 I go to bed at quarter to ten.

Lis le texte, puis corrige l'erreur soulignée dans chaque phrase.

L'aurore polaire

La routine d'une scientifique à l'Institut polaire français

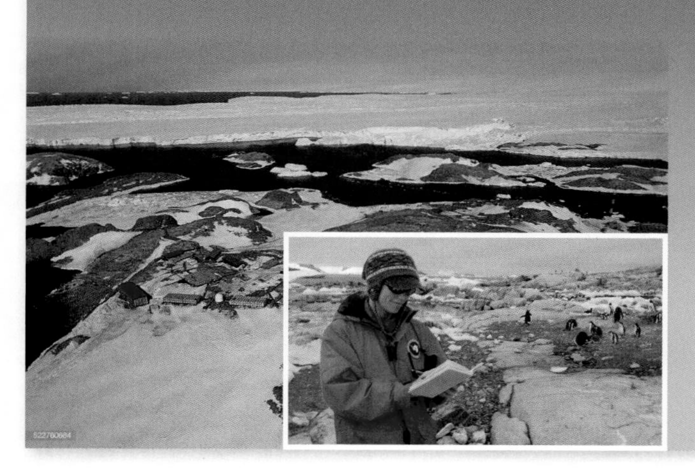

Je m'appelle Rachel Dubois et je suis scientifique. J'habite en Antarctique.

Le matin, je me lève à six heures. **Ensuite** je me douche très rapidement et **après**, je m'habille dans ma chambre.

Puis je prends le petit déjeuner dans la salle à manger. Il fait extrêmement froid: –35 degrés en hiver.

Le soir, je me lave puis je me couche à neuf heures. Mais **quelquefois** je me lève à deux heures du matin. Pourquoi? On peut voir l'aurore polaire: c'est magique.

1 Rachel habite en Europe.
2 Elle se lève à sept heures.
3 Elle prend le petit déjeuner dans la cuisine.
4 Il fait très chaud en hiver.
5 Elle se couche à dix heures.
6 L'aurore polaire, c'est nul.

Relis le texte de l'exercice 5 et trouve ces expressions en gras dans le texte.

1 sometimes 2 in the morning 3 afterwards 4 in the evening 5 then (two synonyms)

Écoute et note les réponses de Mayra en anglais. (1–8)

1 **name:**	Mayra	5 **does hair (time):**	
2 **job:**		6 **has breakfast (place):**	
3 **lives in:**		7 **showers (time):**	
4 **gets up (time):**		8 **goes to bed (time):**	

Tu es Iggy Ramanos. Écris un article sur ta routine. Utilise ces détails:

lives in:	North America
gets up:	9 a.m.
does hair:	9.45 a.m.
has breakfast:	in garden
has a shower:	11 p.m.
goes to bed:	11.30 p.m.

Use the words you found in exercise 6 to link your sentences together.

4 J'ai déménagé!

- Reading texts for overall meaning
- Spotting alternative ways of saying the same thing

Écouter 1 Écoute et lis les textes. Identifie la bonne image. (1–6)

1 Voici mon **nouveau** collège.
2 Voici ma **nouvelle** maison.
3 Il y a un **beau** jardin.
4 Il y a aussi une **belle** cuisine.
5 C'est un **vieux** village.
6 Il y a une **vieille** église.

J'ai déménagé à la campagne.

a 

b 

c 

d 

e 

f 

Some adjectives sound the same even though they are spelled differently:

beau – beaux *belle – belles*

Which of these sound the same?

nouveau – nouvelle – nouveaux – nouvelles

And what about these?
vieux – vieille – vieux – vieilles

G

Beau, ***nouveau*** and ***vieux*** are common irregular adjectives. They come before the noun.

*un **beau** salon* a **beautiful** living room

	masculine	feminine	m. plural	f. plural
beautiful	*beau*	*belle*	*beaux*	*belles*
new	*nouveau*	*nouvelle*	*nouveaux*	*nouvelles*
old	*vieux*	*vieille*	*vieux*	*vieilles*

Before a vowel or *h*, use ***bel*** / ***nouvel*** / ***vieil***:

*un **bel** appartement*

Parler 2 In pairs. Practise saying these tongue twisters. Pay attention to your pronunciation.

1 Isabelle est belle et Bobo est beau.
2 Nina a neuf nouvelles nièces et neuf nouveaux neveux.
3 Avez-vous vu un vieux vélo dans le vieux village et une vieille voiture dans la vieille ville?

Écouter 3 Écoute et lis le rap. Trouve les mots qui manquent.

Moi, j'ai **1** ,
C'était une bonne idée,
Car la maison est **2** ,
La cuisine est nouvelle.
Le salon est très **3** ,
Il y a un bureau,

Le village est très **4** ,
Le collège merveilleux.
C'est très joli ici,
C'est plus calme qu'à **5** .
J'aime beaucoup les lapins …
Mais où sont mes **6** ?

Paris	déménagé	copains	vieux	beau	belle

4 Relis le rap et note les détails en anglais:

a three details about the rapper's new house
b two details about his new village
c how he feels overall in his new home.

TRAPS: **R**eflect, don't **R**ush. Read through to the end of the rap to decide how the rapper feels overall.

5 Lis le blog, puis choisis la bonne fin pour chaque phrase.

La Vie de Nico: Blog d'un ado à la campagne ...

Salut! J'ai déménagé à la campagne! Le village est trop tranquille. Il y a une vieille église et beaucoup de vieilles maisons.

Samedi dernier, je suis allé en ville. D'abord, j'ai visité le nouveau centre commercial. J'ai acheté un beau bracelet pour ma petite copine de Paris. À midi, j'ai mangé un hamburger et j'ai bu un coca. Puis j'ai vu un film.

Je n'aime pas habiter à la campagne parce que je n'ai pas de copains ici.

ma petite copine *my girlfriend*

1. J'ai une nouvelle maison **à la campagne** / **en ville**.
2. Mon village est très **animé** / **calme**.
3. Le weekend dernier, j'ai fait **du sport** / **les magasins**.
4. J'ai acheté **un cadeau** / **un jean**.
5. J'ai mangé **du fastfood** / **une glace**.
6. Après, je suis allé **à la plage** / **au cinéma**.

TRAPS: Look out for **A**lternative ways of saying the same thing in exercises 5 and 6.

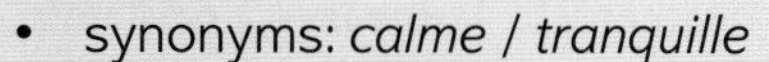

- synonyms: *calme* / *tranquille*
- expressions meaning the same thing: *le weekend dernier* / *samedi dernier*.

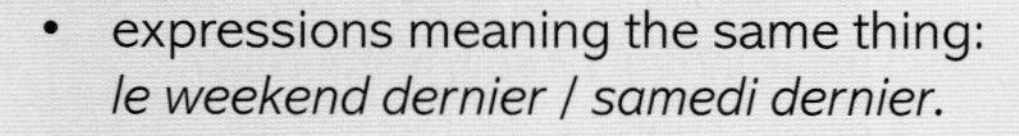

6 Écoute et trouve la phrase qui correspond. (1–5)

a J'ai visité des bâtiments historiques.
b J'ai mangé à la plage.
c J'ai fait les magasins.
d J'ai vu un film.
e Je suis allée au café.

7 Imagine que tu as déménagé. Écris un blog en français. Utilise le tableau.

J'ai déménagé		en ville / à la campagne.	
Il y a		un beau jardin / une belle cuisine. un vieux collège / une vieille église.	
Le weekend dernier,	**j'ai**	**visité**	le centre commercial.
		acheté	un cadeau / des vêtements.
		mangé	une pizza / une glace / du fastfood.
		bu	un coca / un Orangina.
		vu	un film / le château / la cathédrale.
		fait	un pique-nique / du sport / les magasins.
	je suis allé(e)		en ville / au cinéma / au café / à la plage.

Bienvenue en Corse

- Bringing together what you have learned into a piece of writing
- Using two tenses in writing

Écoute et lis le blog de Thomas. Puis réponds aux questions en anglais.

J'habite en Corse. C'est une belle île de la mer Méditerranée.

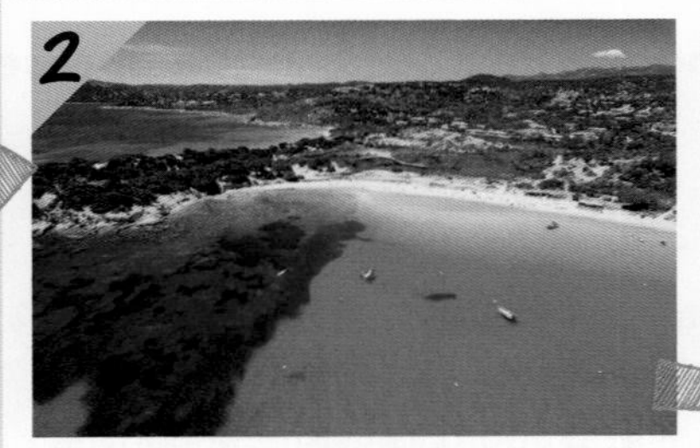

C'est vraiment animé. Il y a des montagnes et des plages. Il y a aussi beaucoup de touristes.

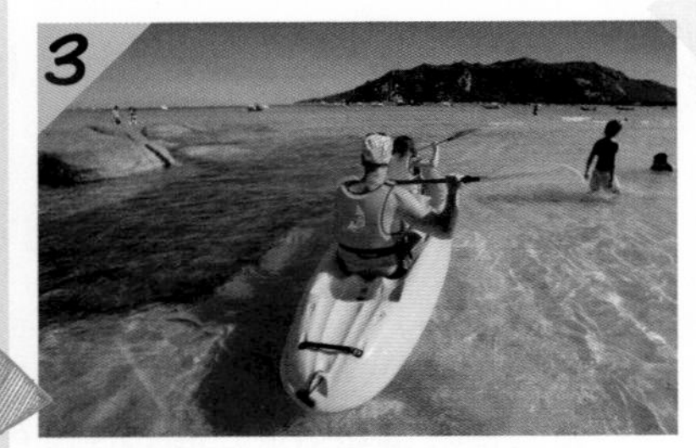

En Corse, on peut faire des randonnées et on peut aller à la plage. On peut aussi faire du canoë-kayak ou du ski nautique.

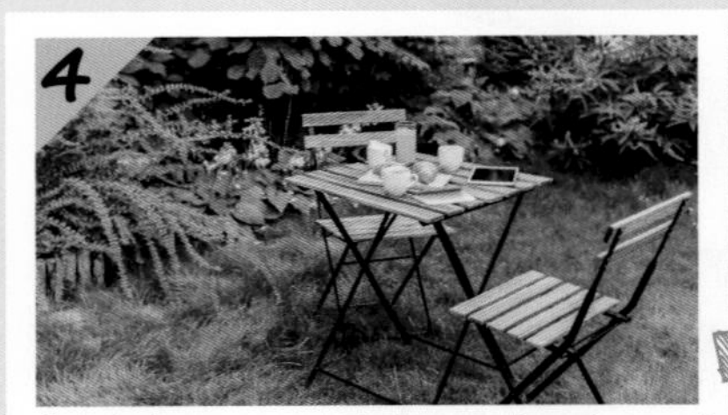

Il fait beau en été. Je me lève à neuf heures et je prends le petit déjeuner dans le jardin. Le soir, je me couche à onze heures.

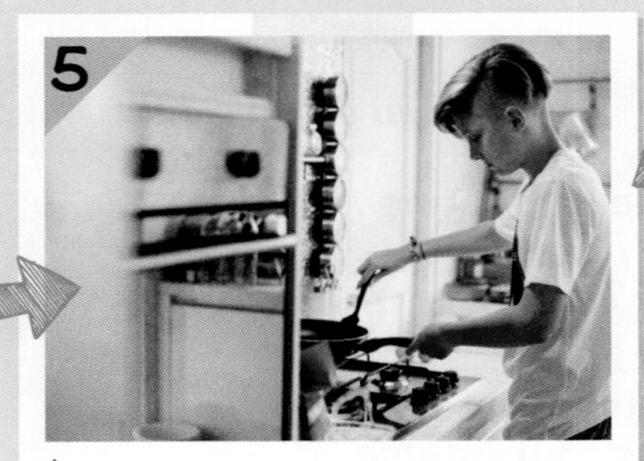

À la maison, je dois faire la cuisine et après, je dois faire la vaisselle.

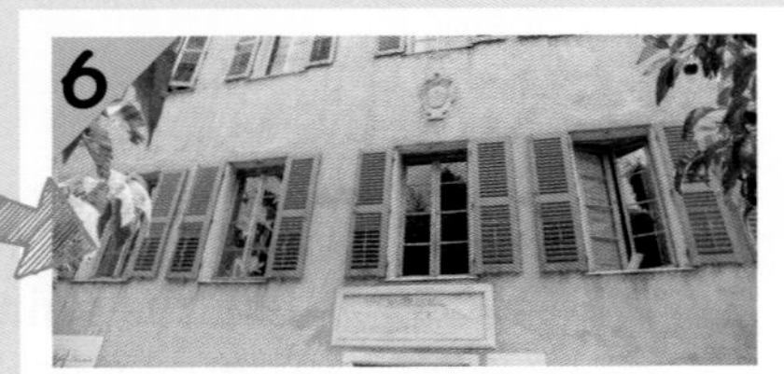

Dimanche dernier, je suis allé à Ajaccio, la capitale de la Corse. Le matin, j'ai visité la maison Bonaparte. L'après-midi, j'ai fait les magasins et le soir, j'ai mangé des fruits de mer.

1 Where is the island of Corsica?
2 What is the island like? (four details)
3 What activities can you do there? (four details)
4 Describe Thomas's daily routine in summer. (three details)
5 What household jobs must he do? (two details)
6 What did he do last weekend? (four details)

G

When there are two different time frames (e.g. present and past) in a text, pay special attention to the verbs:

Present: *j'habit**e**, je me lèv**e**, on **peut**, je **dois**, …*
Past: *j'**ai** mangé, je **suis allé**, …*

Look for examples of present and past tense verbs in the text in exercise 1.

Page 97

Copie et complète les questions en anglais. Puis relis le texte de l'exercice 1 et associe chaque paragraphe à une question.

a	Qu'est-ce que tu **dois** faire à la maison?	What ____ you do at home?
b	À quelle heure est-ce que tu **te lèves**?	What time do you ____?
c	Où **habites**-tu?	Where do you ____?
d	Qu'est-ce qu'on **peut** faire en Corse?	What ____ you do in Corsica?
e	Qu'est-ce que tu as fait **le weekend dernier**?	What did you do ____?
f	**La Corse**, c'est comment?	What is ____ like?

Écoute Loulou et mets les questions de l'exercice 2 dans l'ordre de ses réponses. (1–6)
Listen out for the words in bold for help.

Exemple: **1** f, …

Copie et complète les phrases avec le verbe en gras en français.

1 ____ à Leeds.	**I live** in Leeds.
2 À Leeds, ____ beaucoup de cafés.	In Leeds, **there are** lots of cafés.
3 ____ visiter le stade.	**You can** visit the stadium.
4 ____ à six heures et demie.	**I get up** at 6.30 a.m.
5 ____ nourrir le chien.	**I must** feed the dog.
6 Hier ____ au café et ____ une crêpe.	Yesterday **I went** to the café and **I ate** a pancake.

Réponds aux questions pour écrire un blog en français.

1 Où habites-tu?
2 C'est comment?
3 Qu'est-ce qu'on peut faire dans ta région?
4 À quelle heure est-ce que tu te lèves?
5 Qu'est-ce que tu dois faire à la maison?
6 Qu'est-ce que tu as fait le weekend dernier?

in + the name of a British county or area is *dans le*: ***dans le*** *Fife* (**in** Fife).

in + the name of a town is *à*: ***à*** *Blackpool* (**in** Blackpool).

Ideas: things in an area

tourists
mountains
forests
cars

Ideas: things you can do

go for walks
go canoeing
go shopping
visit monuments

Ideas: helping at home

looking after baby
feeding pets
cooking
tidying bedroom

- Look back at the text in exercise 1. Thomas gives several pieces of information for some questions. Do the same in your answers. Use the bubbles for help with ideas.
- Question 6 needs you to use verbs in the perfect tense.
- When you have finished your blog, swap with your partner and ask him/her to check that your verbs are correct.

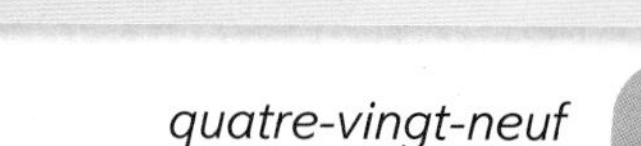

Bilan

P

I can …

- say what type of place I live in: .... *J'habite dans un village / une grande ville.*
- say where it is: .... *C'est à la campagne en France.*
- say what the weather is like: .... *Il fait beau. Il y a du soleil.*
- say what the place I live in is like: .... *C'est animé / tranquille.*

1

I can …

- say what you can do in a place: .... *On peut visiter des grottes. On peut faire du ski.*
- describe a place in more detail: .... *Il y a des forêts. Il y a beaucoup de lacs.*
- ▪ understand the verb ***pouvoir***: .... *je **peux**, elle **peut**, on **peut**, …*

2

I can …

- say what I must do to help at home: .... *Je dois ranger ma chambre. Je dois faire la vaisselle.*
- ▪ understand the verb ***devoir***: .... *je **dois**, il **doit**, on **doit**, …*

3

I can …

- talk about daily routine: .... *je me lève, je m'habille, je me couche*
- talk about the time: .... *Je me lève à six heures et demie.*
- ▪ understand reflexive verbs: .... *je **me lève**, tu **te lèves**, elle **se lève***

4

I can …

- talk about moving house: .... *J'ai déménagé. Voici mon nouveau village.*
- spot alternative ways of saying the same thing: ..... *calme / tranquille; le weekend dernier / samedi dernier*
- ▪ use the adjectives ***beau***, ***nouveau*** and ***vieux***: .... *un **vieux** village, ma **nouvelle** maison*
- ▪ use key verbs in the perfect tense: .... ***j'ai mangé**, **j'ai fait**, je **suis allé(e)***

5

I can …

- talk about life in my home area: .... *Il y a des plages. Je me lève à neuf heures.*
- answer questions about life in my home area: .... *Qu'est-ce qu'on peut faire? On peut aller à la plage.*
- ▪ use two tenses in my writing: .... ***j'habite**, je **me lève**, **j'ai visité**, **j'ai mangé***

Révisions

Ready

1 Translate where these people live into English.

1 à la campagne
2 dans une grande ville
3 au bord de la mer
4 dans un vieux village
5 en Suisse

2 In pairs. Say the time in French. Your partner points to the correct clock.

9:00 | 9:15 | 9:25 | 9:30 | 9:45 | 9:55 | 10:00

3 Say the sentences in the order you do them on a typical day. Add the time at which you do each activity.

Example: Je me lève à six heures.

Je me lave les dents.
Je me coiffe.
Je me couche.
Je prends le petit déjeuner.
Je me lève.
Je m'habille.

4 Match the sentence halves so they make sense.

1 On peut faire du ski parce qu'…
2 On peut aller à la plage parce que …
3 On peut faire des randonnées parce qu'…
4 On peut faire du canoë-kayak parce qu'…

a il y a beaucoup de lacs.
b il y a des forêts.
c il neige tous les jours.
d c'est au bord de la mer.

5 Fill in the missing words in your friend's message about helping at home.

hamsters | frère | faire | dois | ranger

Tous les jours je dois **1** ma chambre et je dois nourrir les **2** .
Le weekend je dois garder mon petit **3** et je **4** laver la voiture.
Je dois aussi **5** la cuisine.

6 Read the text aloud and complete each sentence with a weather word which rhymes with each town. Look back at pages 78–79 if you need help.

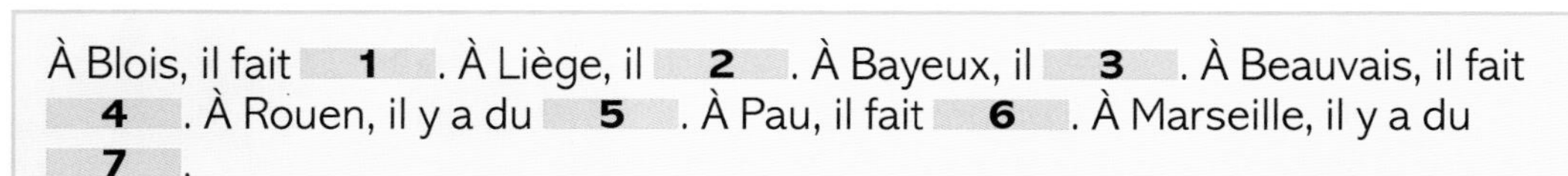
À Blois, il fait **1** . À Liège, il **2** . À Bayeux, il **3** . À Beauvais, il fait **4** . À Rouen, il y a du **5** . À Pau, il fait **6** . À Marseille, il y a du **7** .

7 In pairs. Ask and answer these questions. Replace the underlined words with as many different possibilities as you can.

- *Où habites-tu?*
- *Qu'est-ce qu'on peut faire dans ta région?*
- *Elle est comment, ta région?*
- *Quel temps fait-il en été / en hiver?*
- *Qu'est-ce que tu as fait hier?*

- *J'habite à la montagne.*
- *On peut visiter des grottes.*
- *Il y a beaucoup de bâtiments et c'est animé.*
- *Il pleut.*
- *Je suis allé(e) en ville et j'ai acheté un cadeau.*

En focus

1 Écoute. Copie et complète le tableau. (1–5)

Activities

gets up   has shower   gets dressed

has breakfast   goes to bed

Times

10.00   8.45   9.30   11.00   8.15

	activity	time
1		

Before you start, revise the five daily routine activities and work out what the clock times are in French, using page 84 for help.

2 Écoute et choisis la bonne réponse.

1 Micha habite **en ville** / **à la campagne** / **au bord de la mer**.
2 Sa région est **animée** / **nulle** / **tranquille**.
3 En été, il fait **beau** / **mauvais** / **froid**.
4 Il y a beaucoup de **magasins** / **restaurants** / **visiteurs**.
5 On peut faire **du ski** / **de la cuisine** / **de la natation**.
6 Micha est allée au café **lundi dernier** / **le weekend dernier** / **hier**.

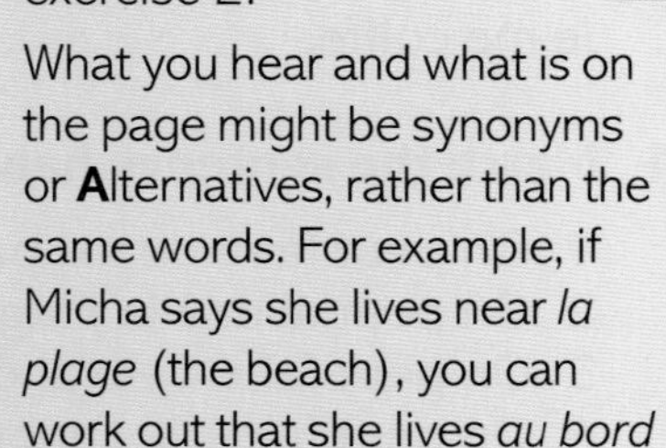

Watch out for TR**A**PS in exercise 2.

What you hear and what is on the page might be synonyms or **A**lternatives, rather than the same words. For example, if Micha says she lives near *la plage* (the beach), you can work out that she lives *au bord de la mer* (at the seaside).

3 Description d'une photo. Regarde la photo et prépare tes réponses aux questions. Puis réponds aux questions.

Remember the four Ws: who you see, where he/she is, what he/she is doing or wearing, and the weather.

- *Qu'est-ce qu'il y a sur la photo?*
- *Sur la photo, il y a …*
- *Qu'est-ce que tu dois faire à la maison?*
- *Je dois …*
- *À quelle heure est-ce que tu prends le petit déjeuner normalement?*
- *Normalement, je prends …*

List at least two jobs you must do at home. You don't have to tell the truth!

En tandem. Prépare tes réponses aux questions. Puis pose les questions et réponds.

- *Elle est comment, ta ville / Il est comment, ton village?*
- *Elle/Il est … et il y a beaucoup de …*
- *Quel temps fait-il dans ta région en hiver?*
- *En hiver, il …*
- *Qu'est-ce qu'on peut faire dans ta ville / ton village?*
- *On peut …*
- *Qu'est-ce que tu as fait récemment dans ta ville / ton village?*
- *J'ai visité … / J'ai mangé … / J'ai bu …*

Lis le texte et choisis la bonne fin pour chaque phrase.

J'habite à Antibes. C'est une belle ville. On peut aller à la plage et j'aime nager. Mais en été, c'est trop touristique et il y a beaucoup de voitures.

Le weekend dernier, j'ai vu une nouvelle comédie au cinéma. C'était vraiment amusant.

Je dois aider à la maison parce que ma mère est handicapée. Je me lève tous les jours à six heures parce que je dois préparer le petit déjeuner. Le soir je dois garder mon petit frère et je dois aussi faire la cuisine. Je me couche à onze heures.

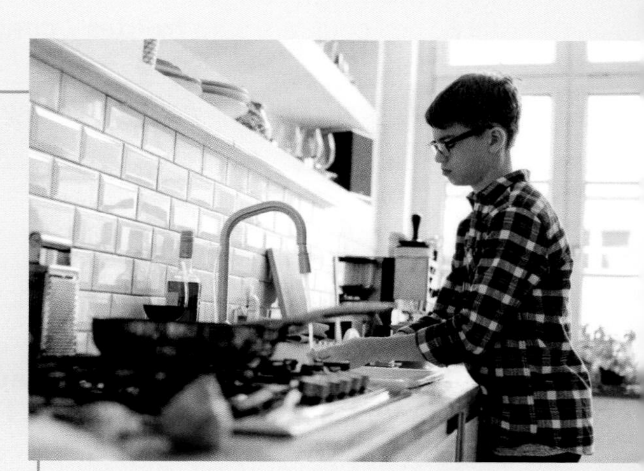

1 Sacha's opinion of Antibes is **positive** / **negative** / **mixed.**
2 He describes **next weekend** / **his usual weekend** / **last weekend.**
3 His opinion of the weekend is **positive** / **negative** / **mixed.**
4 At home, Sacha must do **a lot** / **not much** / **nothing.**
5 His day is **lazy** / **long** / **short.**

Be sure to read to the end of each paragraph to understand its overall meaning.

Traduis les phrases en français.

Use *c'est* and *il y a*

1 I live in a big town.
2 It is great because there are lots of shops.
3 I have breakfast in the kitchen.
4 I must do the washing up and at the weekend I must wash the car.
5 I go to bed at half past nine.

je dois is followed by the infinitive

This is a reflexive verb so starts with *je* ***me*** …

Écris un blog sur ta vie. Mentionne:

- où tu habites — *J'habite … C'est … Il y a …*
- ce qu'on peut faire dans ta région — *Dans ma région, on peut …*
- ta routine — *Je me lève à … et puis …*
- ce que tu as fait le weekend dernier. — *Le weekend dernier, j'ai visité … / j'ai mangé …*

En plus

Regarde le tableau de Paul Gauguin et choisis la bonne fin pour chaque phrase.

1. Sur le tableau il y a **un petit village / une grande ville**.
2. C'est **à la campagne / au bord de la mer**.
3. Il fait **beau / mauvais**.
4. Au premier plan il y a **des gens et un animal / une plage**.
5. Au fond du tableau il y a **une petite maison / des montagnes**.
6. Les couleurs sont **froides / chaudes**.

au premier plan	*in the foreground*
des gens	*people*

'Rue de Tahiti' *by Paul Gauguin*

Lis la présentation sur le tableau de Robert Delaunay et trouve les mots qui manquent. Puis écoute et vérifie.

1. Sur le tableau il y a ______.
2. Il ______.
3. Au fond du tableau, il y a ______.
4. Les couleurs sont ______.
5. J'aime le tableau parce que j'aime ______.

la technique de l'artiste | des bâtiments | fait beau | la tour Eiffel | sombres

'La tour rouge' *by Robert Delaunay*

En tandem. Discute des deux tableaux (exercices 1 et 2). Utilise la grille.

Sur le tableau, les couleurs sont		froides / chaudes / sombres / claires.	
J'adore J'aime Je n'aime pas	le tableau parce que	j'adore j'aime je n'aime pas	le sujet. le symbolisme. la technique de l'artiste. les couleurs.
Tu es d'accord?			
Oui, je suis d'accord. / Non, je ne suis pas d'accord. À mon avis …			

Adapte la présentation de l'exercice 2 pour préparer une présentation sur ce tableau de Claude Monet ou sur un tableau français de ton choix.

'Sur la plage de Trouville' by Claude Monet

Écoute et regarde les cartes. Décide si chaque réponse est correcte (✓) ou fausse (✗). (1–6)

Dans **quel pays** est-ce qu'on trouve	Marseille?
Sur **quel continent** est-ce qu'on trouve	Montréal?
Quelle **équipe sportive** vient de	Bruxelles?
Qu'est-ce qu'on peut **visiter** à	Dakar?
	Paris?
	Fort-de-France?

En tandem. Jeu de mémoire. Utilise les six cartes de l'exercice 5.

- Player A: Study card 1 for 15 seconds. Then close the book.
- Player B: Using the box at the top of the page for help, ask a question about card 1. If Player A answers it correctly, he/she scores a point.
- The game continues in this way, alternating between the players and cards.

Grammaire

The verb *pouvoir* (Unit 1, page 81)

1 Translate the verbs into English.

1. je peux
2. on peut
3. elle peut
4. tu peux
5. je ne peux pas
6. est-ce que je peux?

2 Choose an infinitive to complete each sentence.

jouer visiter regarder
faire aller nager

1. On peut ______ du ski dans les Alpes.
2. Je peux ______ aux jeux vidéo dans ma chambre.
3. Nous pouvons ______ la tour Eiffel.
4. Il ne peut pas ______ au cinéma avec moi.
5. Tu ne peux pas ______ dans la mer.
6. Est-ce que mes parents peuvent ______ le film?

pouvoir (to be able to) is an irregular verb.

*je peu**x***
*tu peu**x***
*il/elle/on peu**t***
*nous **pouvons***
*vous **pouvez***
*ils/elles **peuvent***

You can translate ***pouvoir*** with 'can' in English.

*Je **peux** aller en ville.* **I can** go into town.

It is a modal verb and is followed by the **infinitive**:

*Nous pouvons **visiter** des grottes.* We can **visit** caves.

To make *pouvoir* negative, put ***ne*** … ***pas*** around it.

*On **ne** peut **pas** faire de ski.* You **can't** go skiing.

The verb *devoir* (Unit 2, pages 82–83)

3 The text says what everyone must do to prepare for Granny's birthday party. Translate it into English.

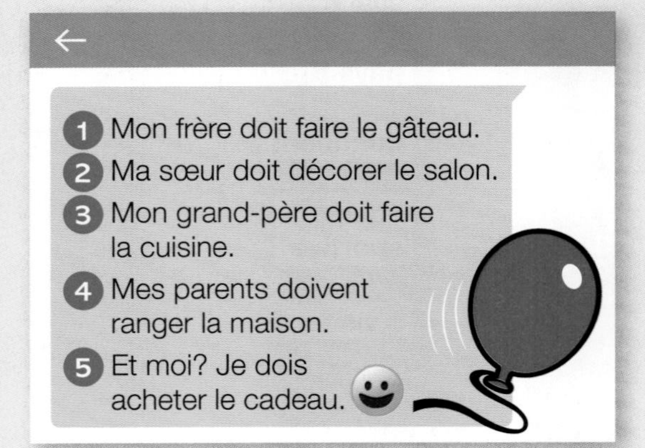

devoir (to have to) is an irregular verb.

*je doi**s***
*tu doi**s***
*il/elle/on doi**t***
*nous **devons***
*vous **devez***
*ils/elles doi**vent***

You can translate *devoir* with 'must' in English.

*Tu **dois** écouter la prof.* **You must** listen to the teacher.

devoir is a modal verb and is followed by an **infinitive**:

*Je dois **faire** la cuisine.* I must **do** the cooking.

To make *devoir* negative, put ***ne … pas*** around it.

*On **ne** doit **pas** polluer l'eau.* We must **not** pollute the water.

4 Choose the correct form of *devoir* to complete each sentence.

1. Je **dois** / **doit** faire du sport tous les jours.
2. Elle **dois** / **doit** regarder le match.
3. Est-ce que nous **devoir** / **devons** aider, maman?
4. Ils **doit** / **doivent** nourrir les animaux.
5. On ne **devoir** / **doit** pas boire d'alcool.

Reflexive verbs (Unit 3, page 84)

5 Find and write out the six reflexive verbs in the word snake.

Example: je me couche, …

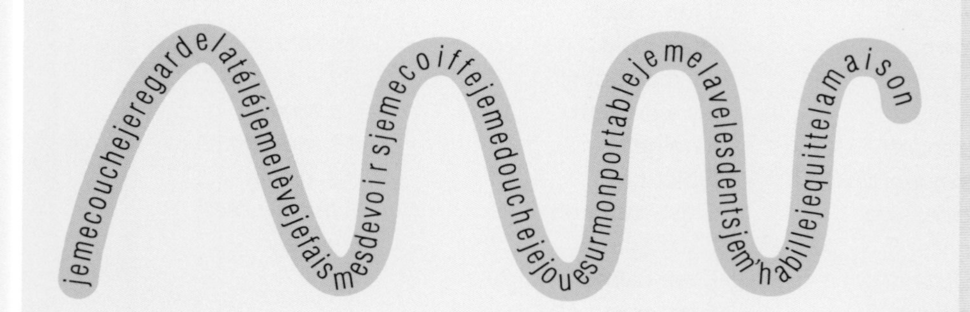

Reflexive verbs have a reflexive pronoun before the verb.

***se** coucher* (to go to bed)

*je **me** couche*
*tu **te** couches*
*il/elle/on **se** couche*
*nous **nous** couchons*
*vous **vous** couchez*
*ils/elles **se** couchent*

me, *te* and *se* shorten to *m'*, *t'* and *s'* before a vowel or *h*:
***s'**habiller* to get dressed
*je **m'**amuse* I am enjoying myself

Using the present and perfect tenses together (Unit 5, page 88)

6 Look carefully at the verbs. Are these people talking about the present or the past?

1. Je regarde un film.
2. J'ai regardé le match.
3. J'ai bu du coca light.
4. J'ai fait du ski.
5. Je suis allé en France.
6. J'ai deux hamsters.

The ***present tense*** is used for talking about what usually happens, or what is happening now:

***Je regarde** la télé.* **I watch** TV. / I **am watching** TV.

The **perfect tense** is used to talk about what you did in the past:

***J'ai regardé** la télé.* **I watched** TV.

Verbs with *je* in the perfect tense consist of *j'ai* or *je suis* + the past participle.

j'ai** visit**é** / **j'ai bu** / **j'ai fait** / **je suis allé(e)

7 Complete each sentence with the correct form of the verb in French.

1. ______ un hamburger à midi. (*I eat*)
2. Hier, ______ un sandwich. (*I ate*)
3. Le weekend dernier, ______ au foot. (*I played*)
4. ______ au foot tous les jours. (*I play*)
5. Le samedi, ______ en ville. (*I go*)
6. Samedi dernier, ______ au cinéma. (*I went*)

Vocabulaire

Point de départ (pages 78–79)

Où habites-tu?	*Where do you live?*
J'habite dans un village.	*I live in a village.*
J'habite dans une ville.	*I live in a town.*
J'habite dans une grande ville.	*I live in a city.*
J'habite à la campagne.	*I live in the country.*
J'habite à la montagne.	*I live in the mountains.*
J'habite au bord de la mer.	*I live at the seaside.*
J'habite en France.	*I live in France.*
J'habite en Suisse.	*I live in Switzerland.*
J'habite au Maroc.	*I live in Morocco.*
Quel temps fait-il sur la photo?	*What's the weather like in the photo?*
Il fait beau.	*The weather's fine.*
Il fait mauvais.	*The weather's bad.*
Il fait chaud.	*It's hot.*
Il fait froid.	*It's cold.*
Il y a du soleil.	*It's sunny.*
Il y a du vent.	*It's windy.*
Il neige.	*It's snowing.*
Il pleut.	*It's raining.*
C'est comment?	*What is it like?*
C'est animé.	*It's lively.*
C'est calme. / **C'est tranquille.**	*It's peaceful / quiet.*
C'est ennuyeux.	*It's boring.*
C'est joli.	*It's pretty.*
C'est nul.	*It's awful.*

Unité 1 (pages 80–81) *Elle est comment, ta région?*

Qu'est-ce qu'on peut faire dans ta région?	*What can you do in your region?*
Dans ma ville ...	*In my town ...*
Dans ma région ...	*In my region ...*
On peut manger des crêpes.	*You can eat pancakes.*
On peut manger du fastfood.	*You can eat fast food.*
On peut visiter des grottes.	*You can visit some caves.*
On peut visiter le marché.	*You can visit the market.*
On peut visiter des monuments historiques.	*You can visit historic monuments.*
On peut faire du canoë-kayak.	*You can go canoeing.*
On peut faire des randonnées.	*You can go for walks.*
On peut faire du ski.	*You can go skiing.*
On peut faire les magasins.	*You can go shopping.*
On peut aller au cinéma.	*You can go to the cinema.*
On peut aller à la plage.	*You can go to the beach.*
Elle est comment, ta région?	*What is your region like?*
Il y a des …	*There are (some) …*
Il y a beaucoup de …	*There are lots of …*
Il n'y a pas de …	*There are no …*
bâtiments.	*buildings.*
champs.	*fields.*
lacs.	*lakes.*
touristes.	*tourists.*
forêts.	*forests.*
montagnes.	*mountains.*
plages.	*beaches.*
voitures.	*cars.*

Unité 2 (pages 82–83) *Qu'est-ce que tu dois faire à la maison?*

Qu'est-ce que tu dois faire à la maison?	*What must you do at home?*
Je dois laver la voiture.	*I must wash the car.*
Je dois rapporter l'eau.	*I must fetch the water.*
Je dois ranger ma chambre.	*I must tidy my bedroom.*
Je dois garder le bébé.	*I must look after the baby.*
Je dois nourrir le chien.	*I must feed the dog.*
Je dois faire la cuisine.	*I must do the cooking.*
Je dois faire la vaisselle.	*I must do the washing-up.*
Je ne fais rien.	*I do nothing./I don't do anything.*
Mon frère doit (laver la voiture).	*My brother must (wash the car).*
Ma sœur doit (ranger sa chambre).	*My sister must (tidy her room).*
Mon frère ne fait rien.	*My brother does nothing/ doesn't do anything.*
Ma sœur ne fait rien.	*My sister does nothing/ doesn't do anything.*
tous les jours	*every day*
souvent	*often*
quelquefois	*sometimes*
le weekend	*at weekends*
le lundi	*on Mondays*

Unité 2 (pages 82–83) *Qu'est-ce que tu dois faire à la maison?*

Je pense que c'est juste.	*I think it's fair.*
Je pense que ce n'est pas juste.	*I think it's unfair.*

Unité 3 (pages 84–85) *Ma routine, ta routine*

Je me lève.	*I get up.*
Je prends le petit déjeuner.	*I have breakfast.*
Je me douche.	*I have a shower.*
Je m'habille.	*I get dressed.*
Je me coiffe.	*I do my hair.*
Je me lave les dents.	*I brush my teeth.*
Je me couche.	*I go to bed.*
à sept heures	*at seven o'clock*
à sept heures et quart	*at quarter past seven*
à sept heures moins le quart	*at quarter to seven*
à sept heures et demie	*at half past seven*
à sept heures (vingt)	*at (20) past seven*
à sept heures moins (dix)	*at (10) to seven*

Unité 4 (pages 86–87) *J'ai déménagé!*

J'ai déménagé.	*I moved house.*
J'ai déménagé en ville.	*I moved to the town.*
J'ai déménagé à la campagne.	*I moved to the countryside.*
Voici mon nouveau collège.	*This is my new school.*
Voici ma nouvelle maison.	*This is my new house.*
C'est un vieux village.	*It is an old village.*
Il y a un beau jardin.	*There is a beautiful garden.*
Il y a une belle cuisine.	*There is a beautiful kitchen.*
Il y a une vieille église.	*There is an old church.*

Unité 5 (pages 88–89) *Bienvenue en Corse*

Où habites-tu?	*Where do you live?*
J'habite en Corse.	*I live in Corsica.*
La Corse, c'est comment?	*What is Corsica like?*
C'est vraiment animé.	*It's really lively.*
Qu'est-ce qu'on peut faire en Corse?	*What can you do in Corsica?*
On peut faire des randonnées.	*You can go hiking.*
À quelle heure est-ce que tu te lèves?	*What time do you get up?*
Je me lève à neuf heures.	*I get up at 9 a.m.*
Qu'est-ce que tu dois faire à la maison?	*What must you do at home?*
Je dois faire la cuisine.	*I must do the cooking.*
Qu'est-ce que tu as fait le weekend dernier?	*What did you do last weekend?*
Je suis allé(e) à Ajaccio.	*I went to Ajaccio.*

Les mots essentiels *High-frequency words*

vraiment	*really*
très	*very*
trop	*too*

Stratégie

Play your cards right

- Make yourself a set of little cards – write a French word or phrase on one side, and the English translation on the back.
- Use the cards on your own or with a friend to help learn new words, and how to spell them.

Module 5 Le sport en direct

1 À ton avis, quels sont les sports qui manquent?

Le Top 10 des sports pratiqués en club en France

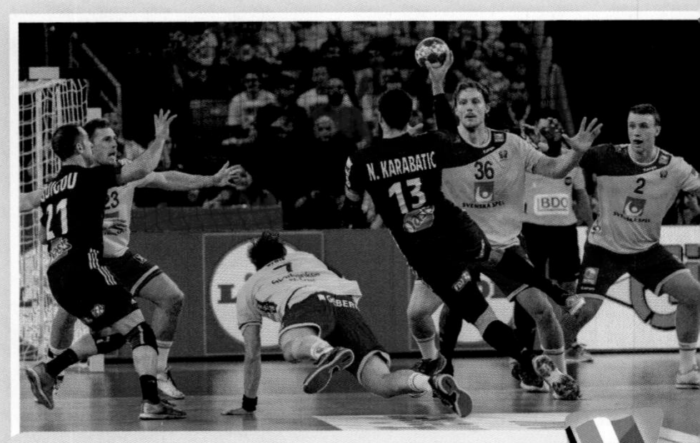

Handball is hugely popular in France and the French national team has won several Olympic gold medals. France's men's and women's handball teams have both also come top in the World Championships!

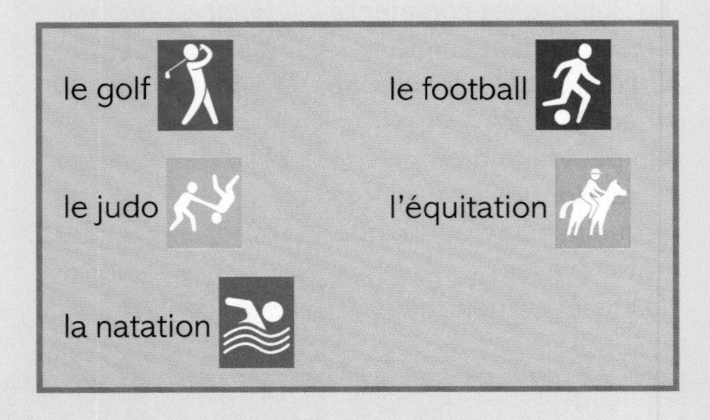

2 Écoute et vérifie. (1–10)

3 Quelle est la bonne réponse: a, b ou c?

1 Le PSG (Paris Saint-Germain) est une équipe de …
- **a** basket.
- **b** football.
- **c** rugby.

2 Le Tour de France est un concours de …
- **a** cyclisme.
- **b** ski.
- **c** tennis.

3 La France a gagné la Coupe du Monde de foot …
- **a** en 2010.
- **b** en 2014.
- **c** en 2018.

4 C'est quelle personnalité sportive francophone?

1 Elle a gagné le championnat de Wimbledon en 2013.
2 Il a marqué un but dans la finale de la Coupe du Monde de 2018.
3 Elle a gagné deux médailles d'or aux Jeux Olympiques de 1996.
4 Il a gagné neuf médailles d'or aux Jeux paralympiques.

marquer un but	*to score a goal*
une médaille d'or	*a gold medal*

a
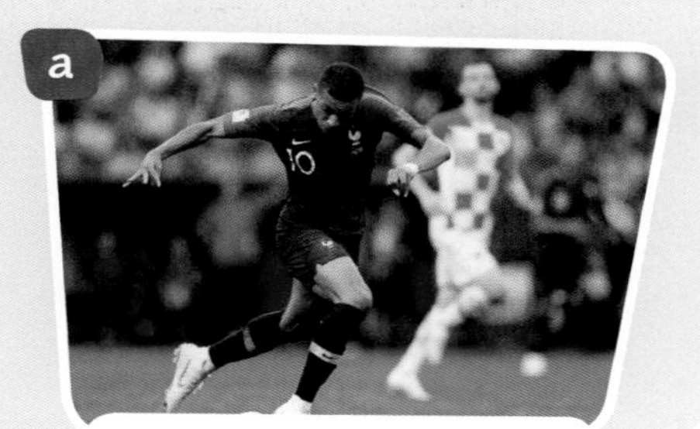
Kylian Mbappé, footballeur français

b

Marie-José Pérec, athlète guadeloupéenne

c

Benoît Huot, nageur québécois

d
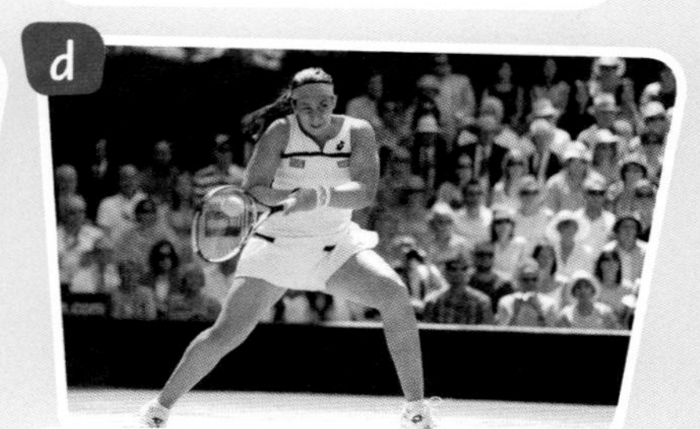
Marion Bartoli, joueuse de tennis française

5 Lis la publicité et choisis la bonne réponse.

- **Regardez *Astérix aux Jeux Olympiques* en streaming!**
- **Film français inspiré de la bande dessinée.**
- **Troisième de quatre films des aventures d'Astérix et Obélix.**
- **Acteurs principaux:**

  Clovis Cornillac: Astérix
  Gérard Depardieu: Obélix

1 *Astérix aux Jeux Olympiques* est ...
  a un film et une bande dessinée.
  b une émission de sport.

2 Au total il y a ... films d'Astérix et Obélix.
  a deux
  b quatre

3 Gérard Depardieu joue le rôle d'...
  a Astérix.
  b Obélix.

Point de départ

- Talking about sports
- Using *jouer à* and *faire de*

1 Écoute et écris les bons sports en anglais. (1–5)

On peut	jouer	au	basket. billard. foot(ball). handball. rugby. tennis. tennis de table. volleyball.
	faire	du	footing. judo. ski. vélo.
		de la	gymnastique. musculation. natation. voile.
		de l'	athlétisme. équitation.

On peut faire quels sports dans ta ville / ton village?

- Use ***jouer à*** with sports you play.
- Use ***faire de*** with sports you do.
- With masculine nouns:
  à + ***le*** becomes ***au***
  de + ***le*** becomes ***du***
  le basket ➡ *On peut jouer **au** basket.*
  le judo ➡ *On peut faire **du** judo.*

Page 120

2 Lis les textes. Note les détails en anglais.

a where they live
b what sports you can do there

1 J'habite à Bordeaux. Dans ma ville, il y a un grand centre sportif où on peut jouer au basket ou faire de la musculation. On peut aussi faire du judo. C'est génial!

2 J'habite à la campagne, en Bretagne. Dans mon village, on peut faire du footing et du vélo. On peut aussi faire de l'équitation. C'est assez sympa.

3 J'habite au bord de la mer, en Corse. En été, on peut jouer au volleyball sur la plage ou faire de la voile – et bien sûr, on peut nager dans la mer. J'adore faire de la natation!

3 En tandem. Fais une conversation. Utilise les idées des cases.

- *On peut faire quels sports dans ta ville ou ton village?*
- *Dans ma ville, on peut jouer au volleyball, faire de la gymnastique, …*

a

b

c

4 Lis et trouve l'équivalent en français des mots en anglais.

***Exemple:* 1** every weekend – tous les weekends

Tu es sportif / sportive?

Tu fais quels sports?

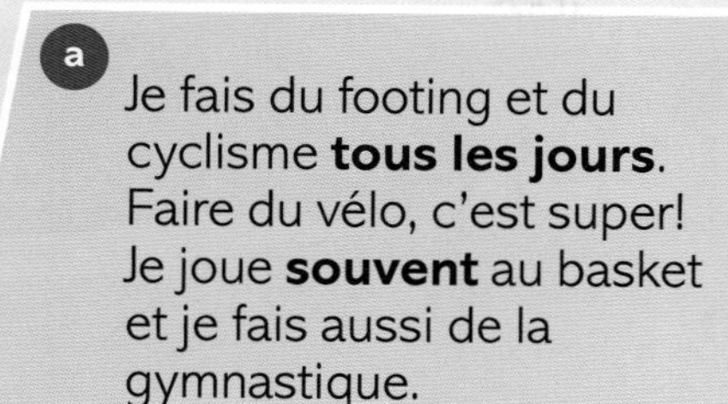

a Je fais du footing et du cyclisme **tous les jours**. Faire du vélo, c'est super! Je joue **souvent** au basket et je fais aussi de la gymnastique.

b **De temps en temps** je joue au tennis de table et **parfois** je joue au billard. Je ne joue pas au rugby et je ne fais jamais de musculation!

c **Tous les mercredis** je joue au handball mais en hiver, je fais du ski. J'ai aussi un cheval et **tous les weekends** je fais de l'équitation. J'adore faire du cheval!

1 every weekend
2 every day
3 every Wednesday
4 often
5 sometimes
6 from time to time

un cheval	*a horse*

5 Read the speech bubbles. Who wrote each text in exercise 4? Write the correct name for each text.

Amir

Manon

Léo

TRAPS

Sometimes there are **A**lternative words (synonyms) for something.

In exercises 2 and 4, can you spot two ways of saying 'to swim / go swimming', 'to go cycling' and 'to go horse riding'?

G

*jou**er*** (to play) is a regular *–er* verb	*faire* (to do) is irregular
*je jou**e** tu jou**es** il/elle/on jou**e** nous jou**ons** vous jou**ez** ils/elles jou**ent***	*je **fais** tu **fais** il/elle/on **fait** nous **faisons** vous **faites** ils/elles **font***

6 Écoute et note les détails en anglais. (1–4)

a how sporty he/she is
b which sport he/she does
c how often he/she does it

7 Écris des phrases. Réponds aux questions.

- Tu es sportif / sportive?
  Oui, je suis assez / très sportif/sportive. Non, je ne suis pas …
- On peut faire quels sports dans ta ville / ton village?
  Dans ma ville / dans mon village, on peut jouer au / faire du/de la …
- Tu fais quels sports?
  Je joue souvent *au … / Je fais du/de la …* tous les jours.

Remember to say how often you do different sports.

1 C'est plus amusant!

- Giving opinions about sports
- Using the comparative

Écouter 1 Écoute et lis. Choisis la lettre des bonnes réponses pour Lina et Omar. (1–5)

Tu es sportif/sportive? Quelle est ton opinion sur les sports suivants?

1 Je trouve le tennis ...
 a amusant. b compliqué. c trop difficile.

2 Je trouve le rugby ...
 a passionnant. b assez intéressant. c ennuyeux.

3 Je trouve le cyclisme ...
 a relaxant. b un peu fatigant. c difficile.

4 Je trouve la natation ...
 a amusante. b ennuyeuse. c très fatigante.

5 Je trouve la gymnastique ...
 a facile. b intéressante. c trop compliquée.

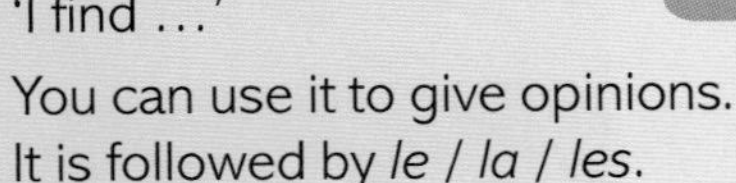

Je trouve ... means 'I find ...'

You can use it to give opinions. It is followed by *le* / *la* / *les*.

Je trouve le basket amusant.
I find basketball fun.

Parler 2 En tandem. Fais le jeu-test. Note la lettre de tes réponses et des réponses de ton/ta camarade.

- *Question numéro un: je trouve le tennis amusant. Tu es d'accord?*
- *Oui, je suis d'accord.*

Or

- *Non, je ne suis pas d'accord. Je trouve le tennis trop difficile.*

Remember, if you add **–e** after a final 't', you pronounce the 't'.
relaxant (silent 't') ➡ *relaxante* (pronounce the 't')

In French all nouns (not just people) are either masculine or feminine.

Adjectives must agree with the noun they describe:

masculine singular	feminine singular
Je trouve **le** football ...	Je trouve **la** danse ...
compliqué amusant fatigant intéressant passionnant relaxant	compliqué**e** amusant**e** fatigant**e** intéressant**e** passionnant**e** relaxant**e**
difficil**e** facil**e**	difficil**e** facil**e**
ennuy**eux**	ennuy**euse**

Lire 3 En tandem. Calcule ton score et lis les résultats.

Résultats

Calcule ton score. **a** = 3 points, **b** = 2 points, **c** = 1 point.

13–15 points: Ouah! Tu es super-sportif/sportive!

8–12 points: Bravo! Tu fais des efforts. Tu es assez sportif/sportive.

5–7 points: Oh là là! Tu n'es pas très sportif/sportive. Tu dois faire un effort!

4 Écoute et lis. Copie et complète les phrases en anglais.

Rémi le rat – champion sportif!

1 Je trouve le cyclisme **plus difficile que** le footing!

2 Je trouve la natation **plus relaxante que** le cyclisme.

3 Je trouve la musculation **plus fatigante que** le footing!

4 Je trouve le rugby **plus amusant que** la natation.

5 Je trouve le tennis **plus ennuyeux que** la musculation.

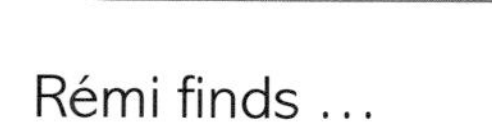

Rémi finds …

1 cycling more ____ than jogging.
2 swimming more ____ than cycling.
3 weight training ____ ____ than jogging.
4 rugby ____ ____ than ____.
5 tennis ____ ____ ____ ____ ____.

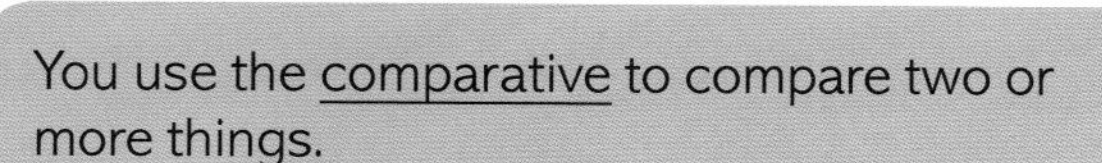

You use the comparative to compare two or more things.

plus + adjective + ***que*** = **more … than …**

The adjective must agree with the first noun mentioned.

*La natation est **plus amusante que** le rugby.*
Swimming is more fun than rugby.

*Le football est **plus facile que** la gymnastique.*
Football is easier than swimming.

In English, we sometimes add '–er' to the adjective (e.g. harder, easier), but you can't do this in French. You must use *plus*.

Page 120

5 Écoute et note les opinions en anglais. (1–5)

Exemple: **1** Horse riding is more relaxing than …

6 Quelle est ton opinion? Copie et complète les phrases. Puis écris une cinquième phrase.

If the first noun in the sentence is feminine, make the adjective agree with it.

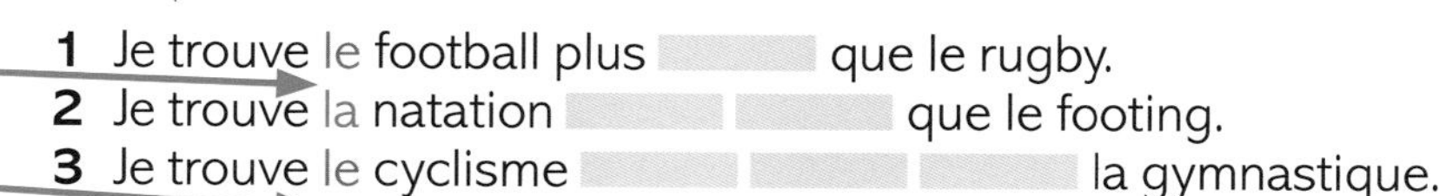

1 Je trouve le football plus ____ que le rugby.
2 Je trouve la natation ____ ____ que le footing.
3 Je trouve le cyclisme ____ ____ ____ la gymnastique.
4 Je trouve la danse …
5 …

7 En tandem. Lis tes phrases à haute voix. Ton/Ta camarade est d'accord?

- *Je trouve le football plus amusant que le rugby. Tu es d'accord?*
- *Oui, je suis d'accord.*

Or

- *Non, je ne suis pas d'accord. Je trouve le rugby plus intéressant que le foot!*

2 Pour aller au stade?

- Asking the way and giving directions
- Using the *vous* form of the imperative

1 Écoute et regarde le plan. On va où? Écris les bonnes lettres. (1–7)

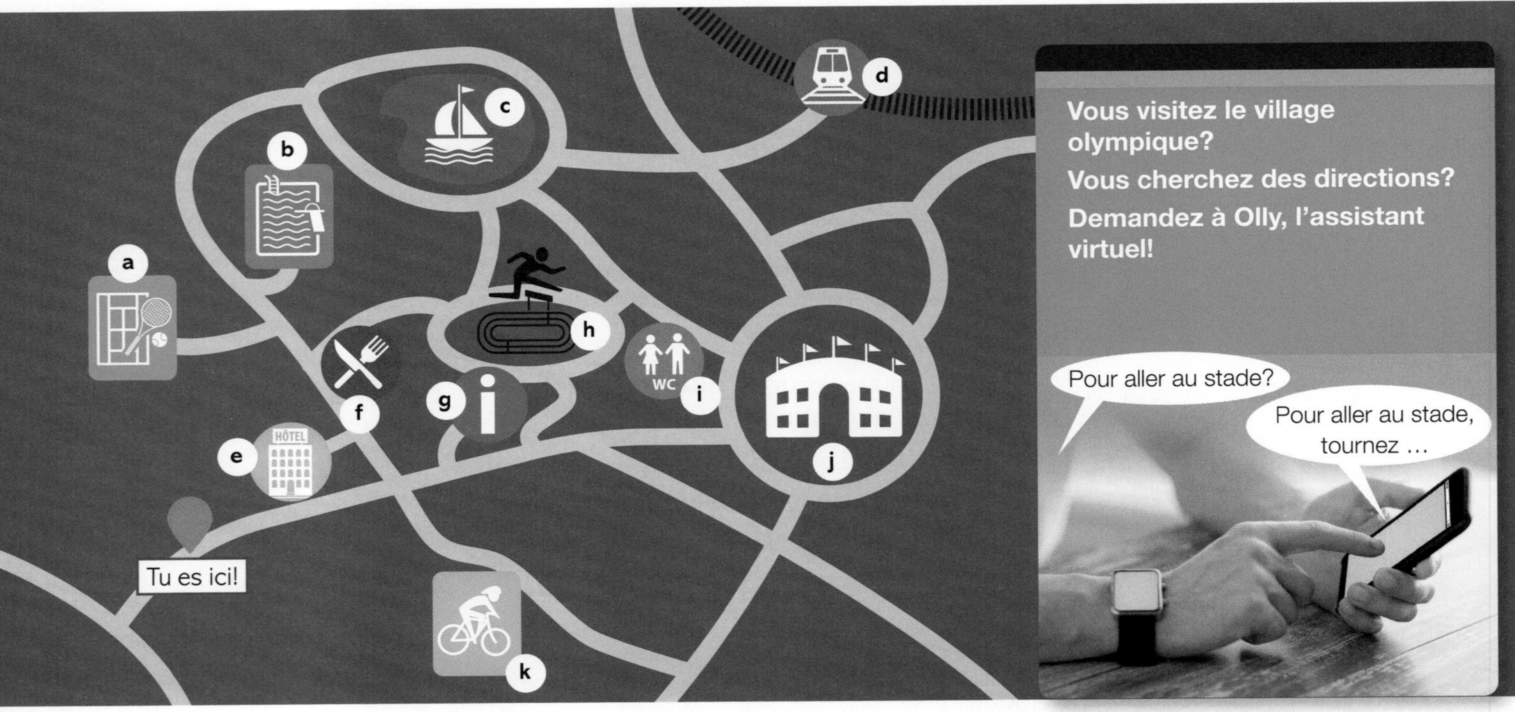

a	les courts de tennis	**e**	l'hôtel	**i**	les toilettes
b	la piscine	**f**	le restaurant	**j**	le stade
c	le lac	**g**	le bureau d'information	**k**	le vélodrome
d	la gare	**h**	la piste d'athlétisme		

2 In pairs. Your partner chooses a photo and you ask the way. Then swap roles.

- *Numéro trois.*
- *Pour aller à la piscine?*

Remember, your voice should go up slightly at the end of a question.
Pour aller au stade?

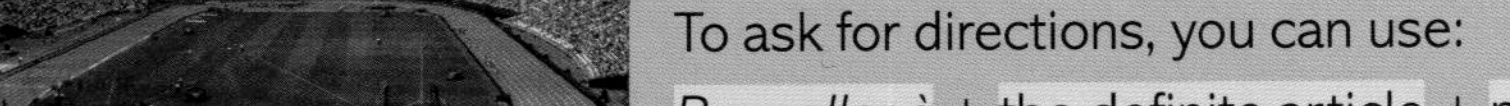

G

To ask for directions, you can use:
Pour aller à + the definite article + noun?

à + ***le*** becomes ***au***
à + ***les*** becomes ***aux***

		Pour aller …
masc singular	*le lac*	***au** lac?*
fem singular	*la gare*	***à la** gare?*
before a vowel sound	*l'hôtel*	***à l'**hôtel?*
plural	***les** toilettes*	***aux** toilettes?*

3 Écoute et note les directions en anglais. Puis regarde le plan de l'exercice 1. On va où? Écris la bonne lettre. (1–5)

Exemple: **1** straight on – j

Allez tout droit.		Prenez la première rue à droite.	
Tournez à droite.		Prenez la deuxième rue à gauche.	
Tournez à gauche.		Prenez la troisième rue à droite.	

Allez tout droit. ('t' is silent.)
Tournez à droite. ('t' is sounded.)
Listen carefully so you know which you are hearing!

4 Lis les messages et, pour chaque personne, réponds aux questions en anglais.

Bonjour, Monsieur Martin,
On a trouvé votre passeport au court de tennis.
Votre passeport est maintenant au bureau d'information.
Vous êtes au stade olympique? Alors, pour aller au bureau d'information:
Tournez à droite. Allez tout droit. Puis prenez la deuxième rue à droite.
Merci, monsieur

Bonjour, Mademoiselle Deneuve,
Nous avons trouvé votre porte-monnaie au vélodrome.
Votre porte-monnaie est maintenant à la réception de l'hôtel. Vous êtes au lac de voile? Alors, pour venir ici: allez tout droit et prenez la troisième rue à droite.
Merci, mademoiselle

votre	*your (polite, formal)*
maintenant	*now*

1 What has the person lost?
2 Where was it found?
3 Where is it now?
4 Where is the person at the moment?
5 What directions are they given?

5 Écoute et note les détails en anglais. (1–3)

a going where?
b directions?

G

You use the imperative to give instructions.
With someone you don't know well (especially adults), use the *vous* form.
Take the *vous* form of the verb and drop the word *vous*.

Vous ***allez*** (You go)	➡	***Allez*** *tout droit.* (Go straight on.)
Vous ***tournez*** (You turn)	➡	***Tournez*** *à gauche.* (Turn left.)
Vous ***prenez*** (You take)	➡	***Prenez*** *la première rue.* (Take the first road.)

Page 121

6 En tandem. Regarde les images et fais trois dialogues. Utilise le plan de l'exercice 1. Puis invente un quatrième dialogue.

- *Pardon, monsieur / madame. Pour aller à la piscine, s'il vous plaît?*
- *Allez tout droit, tournez à …, puis prenez …*
- *Merci, monsieur / madame.*
- *De rien. Au revoir.*

3 Qu'est-ce qu'il faut faire?

- Listening for cognates
- Translating from French into English

Écoute et note la bonne phrase. Que signifient les infinitifs en rouge? (1–8)

Qu'est-ce qu'il faut faire pour être champion(ne)?

a

Il faut travailler dur.

b

Il faut manger des fruits et des légumes.

c

Il faut boire beaucoup d'eau.

d

Il faut être déterminé(e).

e

Il faut aller à la salle de fitness.

f

Il faut dormir huit heures par nuit.

g

Il ne faut pas fumer.

h

Il ne faut pas consommer de drogue.

Écoute et note les détails en anglais. (1–4)

a the sport **b** things you must do **c** things you must not do

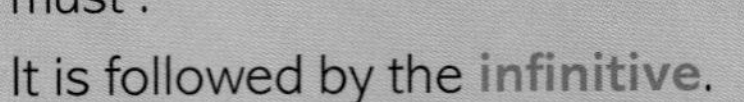

G

Il faut means 'it is necessary to' / 'you must'.

It is followed by the **infinitive**.

***Il faut** travailler dur.* **You must work hard.**

Il ne faut pas means 'you must not'.

***Il ne faut pas** fumer.* **You must not smoke.**

Page 121

Cognates can sound quite different to how they look when you see them. Listen out for these cognates in exercise 2 and have a go at pronouncing them.

cycliste cyclisme championne
cigarettes footballeur professionnel
bonbons alcool motivé

In pairs. Take turns to discuss what you think the three most important pieces of advice are for each sport.

- *Pour la gymnastique, il faut travailler dur, il faut aller à la salle de fitness et il ne faut pas fumer. Tu es d'accord?*
- *Oui. / Non. Il faut …*

a la gymnastique
b la boxe
c l'équitation

Écris les huit phrases de l'exercice 1 en ordre d'importance pour un(e) futur(e) footballeur/footballeuse professionnel(le).

Écoute et note les mots qui manquent.

1 Marie-Amélie le Fur est ______ paralympique de saut en longueur et de 400 ______.
2 Une partie de sa jambe est en ______ après un accident de ______ à l'âge de 16 ans.
3 Pour Marie-Amélie, il faut transmettre des messages ______ sur le handisport.
4 Elle est ambassadrice des Jeux ______ de Paris en 2024.

The missing words are all cognates. Have a go at writing them down, even though your French spelling might not be exactly right.

sa jambe *her leg*

Regarde la photo et trouve la bonne fin pour chaque phrase. Puis écoute et vérifie.

1 Sur la photo, il y a …
2 Elle est sur …
3 Elle porte …
4 Au fond il y a …

a des spectateurs.
b un short et un maillot de course.
c une athlète.
d une piste d'athlétisme.

Lis le texte et complète la traduction en anglais.

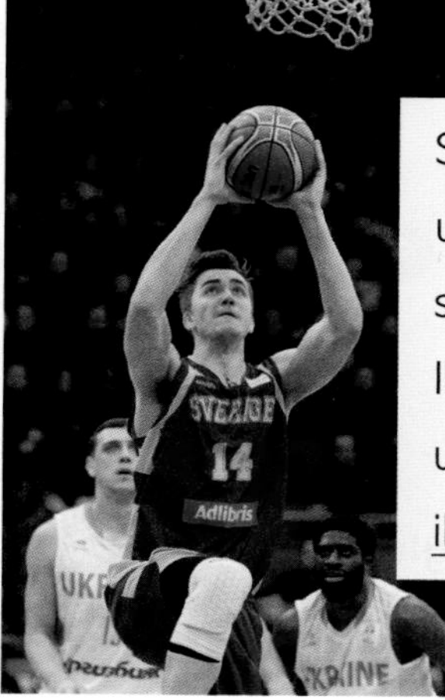

Sur la photo, il y a un joueur de basket. Il est sur un terrain de basket. Il porte un short et un maillot de basket. Au fond il y a des spectateurs.

In the photo there is a **1**. He **2** on a **3**. He **4** shorts and a **5**. In the background **6** some spectators.

- Sometimes French words aren't translated literally. ***Sur** la photo* literally means '**on** the photo', but in English we say '**in** the photo'.
- *Il porte* means 'he **wears**' or 'he **is wearing**'. Which translation sounds right here?

Écris une description de la photo. Adapte le texte de l'exercice 7.

4 Vous allez bien?

- Talking about injuries and illness
- Taking part in a conversation with the doctor

Écoute et note les parties du corps mentionnées dans chaque routine. (1–5)

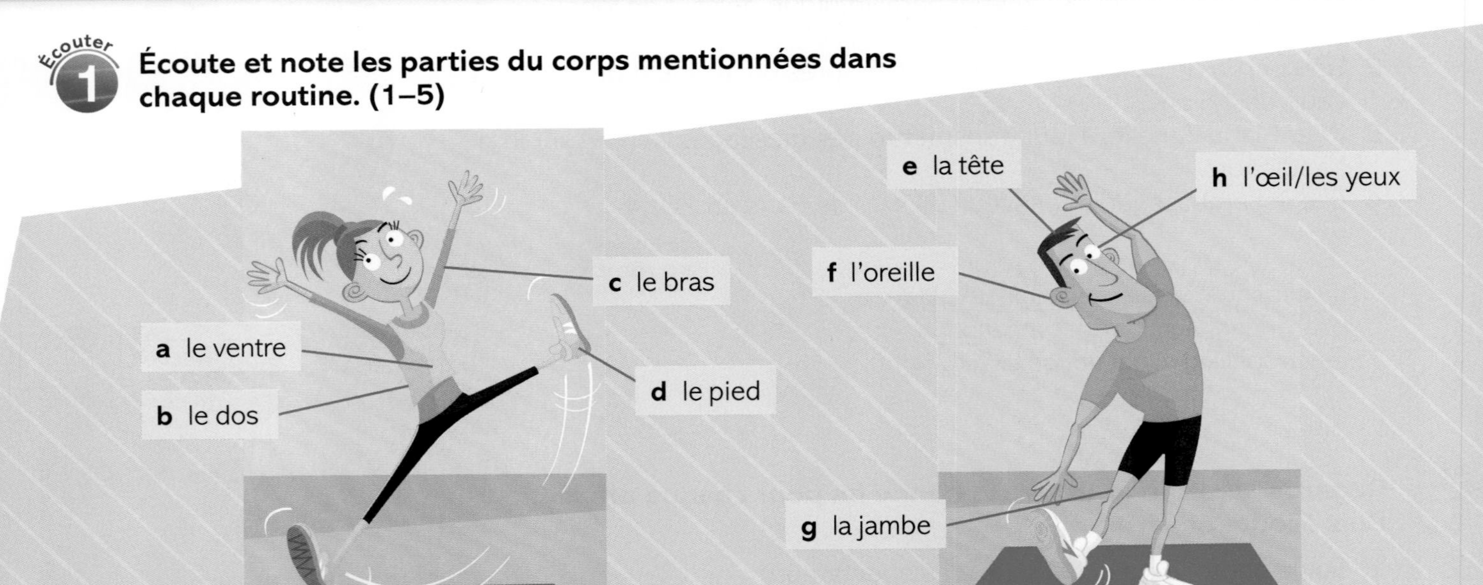

2 Lis les messages et note en anglais les problèmes de chaque athlète.

J'ai mal **au** bras.	*My arm hurts.*
J'ai mal **à la** jambe.	*My leg hurts.*
J'ai mal **à l'**oreille.	*My ear hurts.*
J'ai mal **aux** yeux.	*My eyes hurt.*
J'ai un rhume.	*I have a cold.*
J'ai de la fièvre.	*I have a temperature.*

1 J'ai mal au bras et à la jambe. Je ne vais pas à la salle de fitness.

2 Capitaine, j'ai mal au ventre et j'ai un rhume. J'ai aussi de la fièvre.

3 Désolée, j'ai mal à la tête et aux oreilles. J'ai aussi mal aux yeux.

4 Je ne m'entraîne pas ce soir. J'ai mal au pied et au dos. Désolé.

Lis les phrases en français. Puis copie et complète les phrases en anglais.

1 Il faut prendre des antidouleurs. = You must ______ painkillers.
2 Il faut boire beaucoup d'eau. = You must ______ lots of water.
3 Il faut rester au lit. = You must ______ in bed.
4 Il faut utiliser une crème. = You must ______ a cream.

Écoute les conversations avec le médecin d'équipe. Copie et complète le tableau en anglais. (1–4)

	problem(s)	remedy / remedies
1		

5 En tandem. Lis la conversation à haute voix. Puis répète la conversation et remplace les détails soulignés par les détails donnés. (1–3)

- *Allô!*
- *Bonjour, docteur. C'est Zara.*
- *Ah bonjour Zara, vous allez bien?*
- *Ah non, ça ne va pas. J'ai mal à la jambe.*
- *Euh … c'est tout?*
- *Non, j'ai mal au dos aussi.*
- *D'accord. Il faut utiliser une crème et il faut prendre des antidouleurs.*
- *Merci, docteur.*

Use the *vous* form with the doctor!

J'ai mal	au ventre	au pied	au bras	à la tête	aux yeux

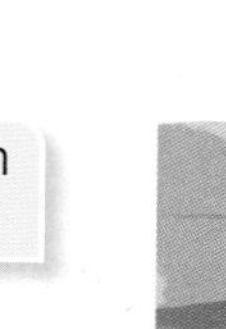

1 Ange
head hurts and eyes hurt
Advice: stay in bed, take painkillers

2 Charlie
stomach hurts and temperature
Advice: drink lots of water, stay in bed

3 Mohammed
foot hurts and arm hurts
Advice: use a cream, take painkillers

6 Lis le blog. Puis copie et complète les phrases en anglais.

Blog de LOU #1 LUNDI Coucou! Je suis au village olympique! Il y a un grand lac, un vélodrome et une belle piste d'athlétisme. Le stade est énorme. Dans le village, il faut porter l'uniforme olympique. C'est génial! Je suis très optimiste!

Blog de LOU #2 MARDI Quel désastre! J'ai mal au ventre et j'ai de la fièvre! Demain, je vais rester au lit et je vais prendre des antidouleurs. Dans deux jours, je vais gagner ma course … Je suis très déterminée!

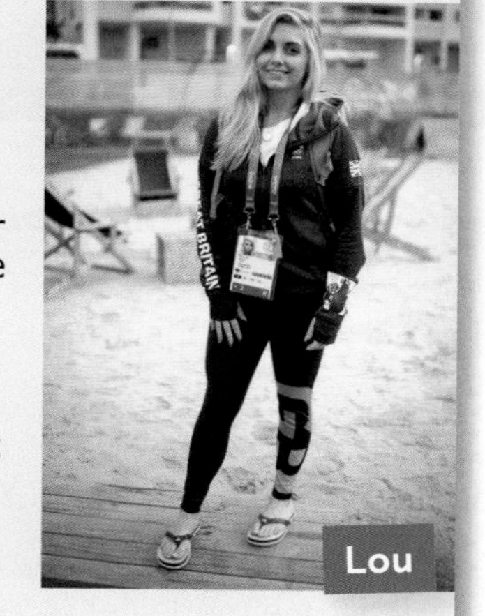
Lou

gagner ma course
to win my race

Day#1
1 In the Olympic village, there is …
2 In the village, you must …
3 Lou is feeling …

Day#2
4 Lou's problems are …
5 Tomorrow, she is going to …
6 In two days, she is going to …

7 Écris un blog sur deux jours au village olympique. Copie et complète les phrases en français.

Jour #1: Je m'appelle … et je suis au village olympique.
Dans le village, il y a …
Le village est … et … Je suis très optimiste!

Jour #2: Quel désastre! J'ai … et j'ai …
Demain, je vais … et je vais …
Dans deux jours, je vais … Je suis très déterminé(e)!

To talk about what you are going to do in the future, use ***je vais* + infinitive**.
Je vais rester au lit. I am going to stay in bed.

5 Allez les futurs champions!

- Understanding sportspeople
- Using three tenses together in speaking

Lire 1 Lis le profil de Joël. Traduis les verbes en gras en anglais.

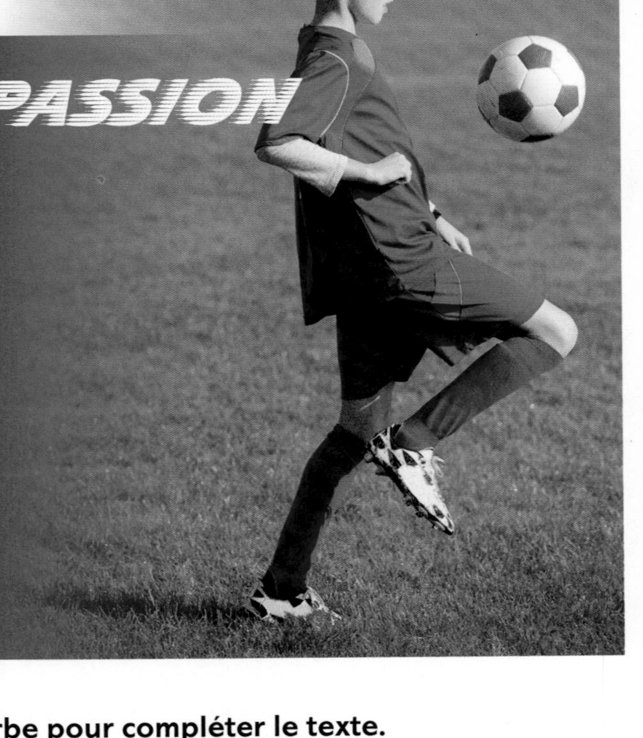

LE FOOT, C'EST MA PASSION

1 Moi, **je joue** au foot tous les jours.

2 **Je travaille** dur.

3 **Je vais** à la salle de fitness.

4 **Je fais** de la musculation.

5 **Je suis** membre d'une équipe locale.

6 **Je marque** beaucoup de buts.

7 Avec mon équipe, **je gagne** souvent.

Écouter 2 Écoute et lis le profil de Clarisse. Choisis le bon verbe pour compléter le texte.

Moi, ma passion, c'est le tennis. **1** au tennis tous les jours et **2** membre d'un club local.

Le weekend dernier, **3** au centre sportif et **4** un match. **5** beaucoup de points et **6** le match. Youpi!

Le weekend prochain, **7** à Bordeaux avec mon club. **8** un match important et **9** une médaille!

j'ai marqué   je vais gagner   je suis allée   j'ai gagné
je suis   je joue   je vais jouer   j'ai joué   je vais aller

Écouter 3 Écoute Lucie. Note si chaque phrase est au présent, au passé ou au futur. (1–8)

Time expressions such as *tous les jours* and *le weekend prochain* help you recognise which tense you need or hear.

To identify the different tenses, look or listen for:

- **present tense**: **single verbs**: *joue, fais, vais, suis*
- **near future tense**: ***je vais*** + infinitive: ***je vais** gagn**er***
- **perfect (past) tense**: ***j'ai*** + past participle: ***j'ai** joué, **je suis allé(e)*** (I went).

Lis l'interview et réponds aux questions en anglais.

GO Magazine: une future championne olympique?

1 GO: Bonjour, Claire. Tu fais quel sport?
Claire: Moi, je fais du snowboard. Je trouve le snowboard passionnant. C'est plus facile que le ski.

2 GO: Qu'est-ce qu'il faut faire pour être championne de snowboard?
Claire: Il faut travailler très dur et il faut manger beaucoup de fruits et de légumes.

3 GO: Qu'est-ce que tu fais tous les jours?
Claire: Après le collège, je vais à la piste de ski artificielle. Le soir, je fais de la musculation.

4 GO: Qu'est-ce que tu as fait récemment?
Claire: Le weekend dernier, j'ai gagné une course dans les Alpes.

5 GO: Qu'est-ce que tu vas faire à l'avenir?
Claire: À l'avenir, je vais aller aux J.O. d'hiver et je vais gagner une médaille!
GO: Bonne chance, Claire!

à l'avenir *in the future*

1 What sport does Claire do, and why? (2 reasons)
2 What must you do to be a champion?
3 What does she do every day?
4 What did she do recently?
5 What is she going to do in the future?

Écoute l'interview et réponds aux questions de l'exercice 4 pour Yasmin.

Les Jeux Olympiques are often shorted to *les J.O.*

G

Learn to recognise key questions in different tenses:

present: ***Qu'est-ce que*** *tu* ***fais****?*
What do you **do** / **are** you **doing**?

perfect: ***Qu'est-ce que*** *tu* ***as fait****?*
What did you **do**?

near future: ***Qu'est-ce que*** *tu* ***vas faire****?*
What are you **going to do**?

Page 121

En tandem. Prépare une interview avec ce futur champion sportif. Utilise les cinq questions dans le texte de l'exercice 4 et invente les réponses.

- *Bonjour Alexis. Tu fais quel sport?*
- *Je joue au rugby. Je trouve le rugby …*

- Before you start, check which tense you need to use to answer each question.
- Make sure you pronounce any cognates correctly. How do you say these in French?
sport membre local national
club compétition points médaille

Je suis Je vais être	membre	d'une équipe locale. de l'équipe nationale. d'un club local.
Je joue J'ai joué Je vais jouer	un match. en compétition. pour la France.	
Je marque J'ai marqué Je vais marquer	beaucoup de/d'	buts / essais / points.
Je gagne J'ai gagné Je vais gagner	un match. une médaille aux J.O. la Coupe du Monde.	

Bilan

P

I can …

- talk about sports you can do: .... *On peut jouer au foot. On peut faire de la voile.*
- say how often I do sport: .... *tous les weekends, de temps en temps*
- use *jouer à* and *faire de*: .... ***Je joue au** rugby. **Je fais du** judo.*

1

I can …

- give opinions about sports: .... *Je trouve la natation relaxante.*
- use the comparative: .... *Le footing est **plus** amusant **que** le basket.*

2

I can …

- ask the way: .... *Pour aller au lac / à la piscine?*
- give directions: .... *allez tout droit, tournez à gauche, prenez la première rue à droite*
- use *à* + definite article: .... ***au** stade / **à la** gare / **à l'**hôtel / **aux** toilettes*
- use the *vous* form of the imperative: .... ***allez**, **tournez**, **prenez***

3

I can …

- understand the qualities of a champion: .... *Il faut être déterminé. Il ne faut pas fumer.*
- listen for and understand cognates: .... *cycliste, championne, cigarettes, footballeur, professionnel*
- translate from French into English
- use *il faut* + infinitive: .... ***Il faut boire** beaucoup d'eau.*

4

I can …

- talk about injuries and illness: .... *J'ai mal à la tête. J'ai un rhume.*
- understand basic remedies: .... *Il faut prendre des antidouleurs. Il faut rester au lit.*
- use *j'ai mal à …*: .... ***J'ai mal au** bras / **à la** jambe / **à l'**œil / **aux** yeux.*

5

I can …

- talk about sport: .... *Je joue au foot. J'ai marqué beaucoup de buts.*
- use three tenses when speaking: .... *je joue, j'ai joué, je vais jouer*
- understand questions in three tenses: .... *Qu'est-ce que tu **fais**?*
  *Qu'est-ce que tu **as fait**?*
  *Qu'est-ce que tu **vas faire**?*

Révisions

1 In pairs. Mime a sport and your partner names the sport in French. Remember to pronounce any cognates correctly.

2 What is wrong with each person?

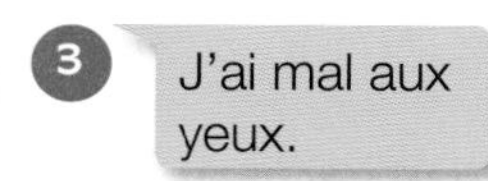

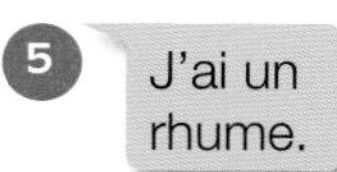

3 Decide if each opinion is positive or negative.

1. Je trouve le tennis trop compliqué.
2. Je trouve la natation ennuyeuse.
3. Je trouve le village olympique génial.
4. J'aime travailler dur.

4 In pairs. Use the map to ask where each place is and give directions, using the *vous* form of the imperative.

- *Pour aller à l'hôtel, s'il vous plaît?*
- *Tournez à gauche.*

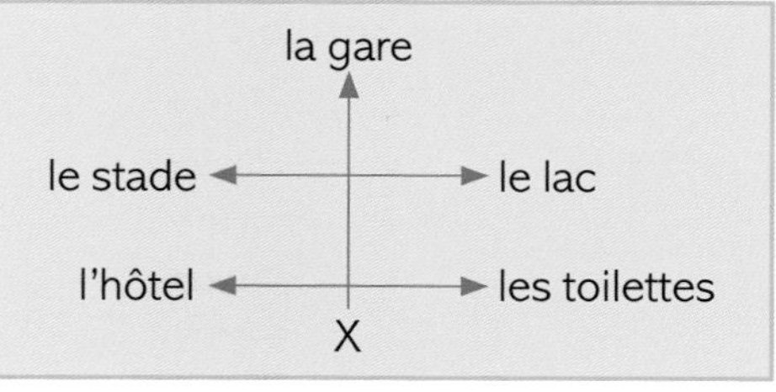

5 Translate into English these sentences on how to be a champion.

1. Il faut manger beaucoup de fruits et de légumes et boire beaucoup d'eau tous les jours.
2. Il faut aller à la salle de fitness de temps en temps et il ne faut pas fumer.
3. Il faut aussi être vraiment déterminé.
4. Il faut travailler dur mais il faut aussi dormir huit heures par nuit.

6 Put the five sports in order, starting with the one Sonia likes the most.

Je trouve le tennis plus intéressant que le golf. Le ski est plus amusant que le tennis. Le basket est plus passionnant que le ski et le golf est plus amusant que l'athlétisme.

7 Match each question to the correct answer.

1. On peut faire quels sports dans ta ville?
2. Tu fais quel sport?
3. Qu'est-ce que tu as fait récemment?
4. Qu'est-ce que tu vas faire à l'avenir?

a. Je vais gagner une médaille aux J.O.
b. J'ai gagné une compétition.
c. On peut jouer au foot et faire du vélo.
d. Je fais du judo.

8 In pairs. Ask and answer the four questions from exercise 7. How many different answers can you think of for each question?

En focus

1 Listen and note what each person is doing. Write the correct letter. (1–6)

- **a** visiting the doctor
- **b** giving directions
- **c** talking about their town
- **d** talking about yesterday
- **e** giving opinions on sport
- **f** talking about the future

TRAPS: Listen out for different verb **T**enses.

2 Listen to Max. Copy and complete the sentences in English.

1. Max loves …
2. He plays every …
3. His sister prefers …
4. She plays it …
5. To be a champion, you must …
6. You must not …

Listen out for cognates.
Also watch out for T**R**APS:
Reflect and don't rush into your answer before you have listened to the whole sentence.

3 En tandem. Jeu de rôle. Prépare tes réponses.

When *vous* is used in the scenario, you need to use *vous* in the role play.

Vous êtes dans la rue. Vous aidez un(e) touriste français(e).

- *Excusez-moi, pour aller au stade de foot, s'il vous plaît?*
- *(2 directions)*
- *Ah, merci. Vous aimez le foot?*
- *(Opinion + raison)*
- *!*
- *? (Piscine – directions)*
- *Je ne sais pas! Je suis en vacances.*

Start each direction with *Allez / Tournez / Prenez* …

! means you have to answer an unexpected question.

Use *parce que* (because) in your answer.

? means you have to ask a question. Which question should you ask here?

4 En tandem. Écoute et fais le jeu de rôle deux fois. (1–2)

Do one complete role play each. Listen to your partner and give feedback on his or her performance.

- Each time, you will hear a different unexpected question! Answer with a full sentence.
- The questions use the *vous* form: listen for *vous **faites*** ('you **do**') and ***votre** ville* ('**your** town').

5 Description d'une photo. Regarde la photo et prépare tes réponses aux questions.

- *Qu'est-ce qu'il y a sur la photo?*
- *Sur la photo, il y a …*
- *Qu'est-ce qu'il faut faire pour être champion dans un sport?*
- *Il faut …*
- *Qu'est-ce que tu vas faire le weekend prochain?*
- *Je vais …*

6 Traduis les phrases en français.

1 **I play** basketball every day.
2 **I do** gymnastics every Monday.
3 I find tennis **more** interesting **than** rugby.
4 Tomorrow **I am going to play** tennis.
5 Last weekend **I played** in a match and **I won** a medal.

Before you start, think carefully about the words in **bold**. Which tense / vocabulary do you need?

7 Lis le texte et choisis les trois phrases vraies.

Pierre Moulin (15 ans) est un futur champion de vélo. Pour être champion de cyclisme, il faut être très positif.

Pierre trouve le vélo plus amusant que les autres sports. Il va tous les jours à la salle de fitness et tous les samedis il fait du vélo dans les montagnes.

Le weekend dernier, Pierre a gagné une course junior importante. À l'avenir, il va peut-être gagner une médaille aux Jeux Olympiques.

1 Pierre is a full-time professional cyclist.
2 You must be very positive to be a cycling champion.
3 Pierre finds all sports equally exciting.
4 He goes to the gym every day.
5 He goes cycling in the mountains every Monday.
6 Pierre recently won an important junior race.
7 He also won a medal at the Olympic Games.

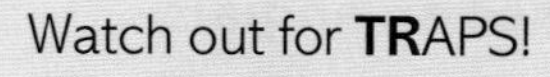

Watch out for **TR**APS!

Tenses: check if verbs are in the present, perfect (past) or future tense.

Reflect, don't **R**ush: be sure to read right to the end of sentences.

8 Écris un blog sur le sport. Mentionne:

- tes opinions sur trois sports — *J'aime le/la … Je trouve le/la … super / difficile.*
- deux sports que tu as faits récemment — *Lundi dernier, j'ai joué au … / j'ai fait du/de la …*
- deux sports que tu vas faire samedi prochain. — *Samedi prochain, je vais jouer au / faire du/de la …*

En plus

Écoute et lis le texte. Mets les questions en anglais dans l'ordre des questions dans le texte.

Aux pages 42 à 44, il y a la deuxième série de questions:

« À quelle date est-ce qu'on a codifié les règles de football? »

« Comment s'appelle le terrain de football où on a joué la première finale de Coupe de France? »

« Quelle équipe a gagné le Championnat de France féminin en 1991? »

Il y a vingt questions comme ça! Elles sont plus difficiles que les autres questions!

Finalement, il y a une question subsidiaire:

« Combien de billets est-ce qu'on a vendu pour la Coupe du Monde de football en 2002? »

C'est impossible. Impossible! Comment je vais trouver ça?

L'école des champions, by Jacques Lindecker, is a series of books about Martin, a talented young player at a football academy. In the first book, Martin decides to enter a magazine competition to win two tickets for the World Cup! To win, he has to answer questions about football.

In French books, symbols like this are often used instead of speech marks or quotation marks. Here, they show that Martin is reading the questions aloud.

codifier	*to standardise*
la question subsidiaire	*tie-breaker*
vendu	*sold*

a How many tickets were sold for the football World Cup in 2002?

b Which team won the women's Championship of France in 1991?

c On which date were the rules of football standardised?

d What is the name of the football ground where the first final of the French Cup was played?

- In exercise 1, look for words you know, or can guess, to get the gist.
- In exercise 2, you need to look for detail. Read the questions to find out what you need to know, then scan the text for the answers.

Relis le texte. Copie et complète les phrases en anglais.

1 According to Martin, there are ... questions like that in the quiz.
2 He says that they are more ... than the other questions.
3 He thinks that the tie-breaker question is ...

- The word for 'thousand' is *mille.*
- The word for 'hundred' is *cent.*

So, you say years like this:

2015: *deux mille quinze* (two thousand fifteen)
1990: *mille neuf cent quatre-vingt-dix* (thousand nine hundred ninety)

How would you say the two dates in the exercise 1 text?

Listen again to see if you were right.

Écoute. Copie et complète les questions avec la bonne date de la case. Puis traduis les questions en anglais.

1 Quel pays a gagné la Coupe du Monde de foot en ______?
2 Quel pays a gagné 46 médailles d'or aux Jeux Olympiques de ______?
3 Quelle équipe a gagné la Ligue des Champions en ______?
4 Quelle sportive a gagné trois médailles d'or aux Jeux Olympiques de ______?

2008	2012	2013	2016	2018

G

To ask '***which*** ...?' or '***what*** ...?' followed by a noun, use ***quel*** ...? or ***quelle*** ...?

Quel/Quelle is an adjective and must agree with the noun.

Remember, *qu* is pronounced 'k' in French.

masculine singular	feminine singular
Quel *pays ...?* (Which country ...?) ***Quel*** *sportif ...?* (Which sportsman ...?)	***Quelle*** *équipe ...?* (Which team ...?) ***Quelle*** *sportive ...?* (Which sportswoman ...?)

Lis le quiz et écris tes réponses.

Le sport, c'est la question!

Les Jeux Olympiques

1 Quel pays a gagné 27 médailles d'or aux Jeux Olympiques de 2016?

a la Chine
b les États-Unis
c la Grande-Bretagne

2 Quel sportif a gagné un total de 28 médailles olympiques?

a Michael Phelps
b Usain Bolt
c Chris Hoy

Le football

3 Quel pays a gagné la Coupe du Monde de foot en 2018?

a l'Espagne
b la France
c l'Allemagne

4 Quelle équipe a gagné la Ligue des Champions en 2008?

a Real Madrid
b Bayern Munich
c Manchester United

Écoute Juliette et Noah qui participent au quiz. Vérifie tes réponses.
Listen to Juliette and Noah taking part in the quiz. Check your answers.

un bonus de deux points
two bonus points

En tandem. Invente un quiz sportif. Fais des recherches et écris quatre questions. Adapte les questions de l'exercice 4.

- Use the questions in exercise 4 as a model.
- Make sure you can say the years in your questions.
- Remember to use *quel* or *quelle* correctly.
- If possible, record or video your quiz.

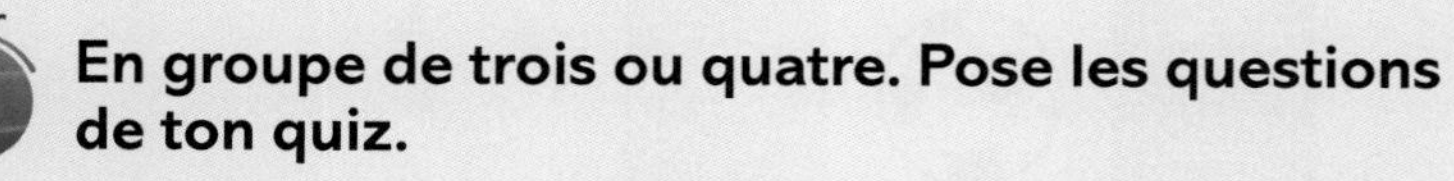

En groupe de trois ou quatre. Pose les questions de ton quiz.

- *Quel pays a gagné la Coupe du Monde de foot en 2010?*
- *b – l'Espagne.*
- *Bravo! Cinq points. / Non, désolé(e).*

Grammaire

jouer à and *faire de* (Point de départ, page 102)

1 Copy the sentences and fill in the missing word(s). Then translate the sentences into English. Where needed, the gender of the sport is shown in brackets.

1 Je joue tous les jours ______ tennis (*m*).
2 Je fais ______ vélo (*m*) de temps en temps.
3 Je fais ______ musculation (*f*) à la salle de fitness.
4 Nous jouons ______ foot (*m*) tous les lundis.
5 Nous faisons ______ équitation tous les weekends.

- Use ***jouer à*** for sports you play.
- Use ***faire de*** for sports you do.

With **masculine** nouns, ***à*** + ***le*** becomes ***au*** and ***de*** + ***le*** becomes ***du***.

	masculine	feminine	before a vowel
J'aime jouer …	***au*** *basket*	***à la*** *pétanque*	
J'aime faire …	***du*** *vélo*	***de la*** *voile*	***de l'****athlétisme*

When *faire* is used with a sport, it is sometimes translated by 'to go':

On peut ***faire*** *du vélo.* You can **go** cycling.

The comparative (Unit 1, page 105)

2 Translate these sentences into English. Note whether you agree  **or disagree**  **with each one.**

1 Le tennis de table est plus amusant que le volley.
2 La natation est plus facile que le hockey.
3 En France, le golf est plus populaire que le basket.
4 Manchester United est plus riche que Newcastle United.
5 Un match de cricket est plus intéressant qu'un match de rugby.
6 La musculation est plus fatigante que le tennis.

You use the comparative to compare two or more things.

To form the comparative, use:

plus + adjective + ***que*** more … than …

Le ski est ***plus*** *amusant* ***que*** *le cyclisme.*
Skiing is **more** fun **than** cycling.

In English, we sometimes form the comparative by adding '–er' to the adjective (e.g. faster, easier), but you can't do this in French. You must use *plus*:

plus vite faster *plus facile* easier

The adjective agrees with the first noun:

La *voile est* ***plus*** *fatigante* ***que*** *le tennis.*
Sailing is **more** tiring **than** tennis.

3 Write sentences comparing each set of two things, using the adjective in brackets and *plus … que*. Remember to make the adjective agree if the first noun in your sentence is feminine.

Example: **1** ***La*** *danse est plus passionnant****e*** *que le golf.*

1 le golf, la danse (passionnant)
2 le cricket, le foot (compliqué)
3 la gymnastique, le yoga (relaxant)
4 le footing, le cyclisme (fatigant)
5 le sport, la télé (ennuyeux)
6 l'histoire (f), la géographie (intéressant)

The imperative (Unit 2, page 107)

4 Match each instruction with its English translation.

1 Tournez à gauche.
2 Allez au stade.
3 Prenez deux antidouleurs.
4 Travaillez dur!
5 Écoutez le professeur.
6 Répétez, s'il vous plaît.

a Work hard!
b Take two painkillers.
c Repeat, please.
d Listen to the teacher.
e Go to the stadium.
f Turn left.

You use the imperative to give instructions.

Take the *vous* form of the verb and drop the word *vous*.

Vous ***tournez*** (You turn) ➡ ***Tournez*** *à gauche.* (**Turn** left.)
Vous ***prenez*** (You take) ➡ ***Prenez*** *la première rue.* (**Take** the first road.)
Vous ***allez*** (You go) ➡ ***Allez*** *tout droit.* (**Go** straight on.)

Il faut + infinitive (Unit 3, page 108)

5 Choose an infinitive from the box to complete each sentence.

manger dormir faire
être aller boire

1 Il faut ______ à la salle de fitness de temps en temps.
2 Il faut ______ du sport tous les jours.
3 Il ne faut pas ______ d'alcool.
4 Il faut ______ positif et optimiste.
5 Il ne faut pas ______ trop de bonbons.
6 Il faut ______ huit heures par nuit.

Il faut is a little phrase meaning 'you must' or 'it is necessary to'. The **infinitive** is used after *il faut*.

Il faut ***travailler*** *dur.* **You must work** hard.

Il ***ne*** *faut* ***pas*** means 'you must not'.

Il ***ne*** *faut* ***pas fumer.***
You must **not smoke**.

Using three tenses (Unit 5, page 113)

6 Note which tense each question is in: present, perfect (past) or near future. Then translate each question into English.

1 Qu'est-ce que tu vas faire le weekend prochain?
2 Est-ce que tu joues au billard?
3 Est-ce que tu vas jouer au handball lundi?
4 Qu'est-ce que tu as fait samedi?
5 Est-ce que tu as joué au rugby?
6 Qu'est-ce que tu fais mardi?

When you see or hear a question in French, look at or listen carefully to the verb. The verb tells you which tense the question is in, and therefore which tense you need to use in your answer.

Qu'est-ce que ***tu manges****?* What **do you** eat / **are you** eat**ing**?
Qu'est-ce que ***tu as mangé****?* What **did** you **eat**?
Qu'est-ce que ***tu vas manger****?* What **are you going to** eat?

Vocabulaire

Point de départ (pages 102–103)

Dans ma ville, on peut …	*In my town, you can …*
Dans mon village, on peut …	*In my village, you can …*
jouer au basket.	*play basketball.*
jouer au billard.	*play snooker.*
jouer au foot(ball).	*play football.*
jouer au handball.	*play handball.*
jouer au rugby.	*play rugby.*
jouer au tennis.	*play tennis.*
jouer au tennis de table.	*play table tennis.*
jouer au volleyball.	*play volleyball.*
faire du footing.	*go jogging.*
faire du judo.	*do judo.*
faire du ski.	*go skiing.*
faire du vélo.	*go cycling.*
faire de la gymnastique.	*do gymnastics.*
faire de la musculation.	*do weight training.*
faire de la natation.	*go swimming.*
faire de la voile.	*go sailing.*
faire de l'athlétisme.	*do athletics.*
faire de l'équitation.	*go horse riding.*
Tu es sportif/sportive?	*Are you sporty?*
Je suis (assez) sportif/sportive.	*I am (quite) sporty.*
Je ne suis pas (très) sportif/sportive.	*I am not (very) sporty.*
Tu fais quels sports?	*What sports do you do?*
Je joue au rugby.	*I play rugby.*
Je fais du judo.	*I do judo.*

Unité 1 (pages 104–105) *C'est plus amusant!*

Quelle est ton opinion sur … ?	*What is your opinion of … ?*
Je trouve le tennis …	*I find tennis …*
Je trouve la voile ...	*I find sailing ....*
amusant(e).	*fun.*
compliqué(e).	*complicated.*
fatigant(e).	*tiring.*
intéressant(e).	*interesting.*
passionnant(e).	*exciting.*
relaxant(e).	*relaxing.*
facile.	*easy.*
difficile.	*difficult.*
ennuyeux/ennuyeuse.	*boring.*
Je trouve le ski plus difficile que le cyclisme.	*I find skiing more difficult than cycling.*
Je trouve la gymnastique plus facile que le footing.	*I find gymnastics easier than jogging.*

Unité 2 (pages 106–107) *Pour aller au stade?*

Pour aller au bureau d'information?	*How do I get to the information office?*
Pour aller au lac?	*How do I get to the lake?*
Pour aller au restaurant?	*How do I get to the restaurant?*
Pour aller au stade?	*How do I get to the stadium?*
Pour aller au vélodrome?	*How do I get to the velodrome?*
Pour aller à la piscine?	*How do I get to the swimming pool?*
Pour aller à la gare?	*How do I get to the station?*
Pour aller à la piste d'athlétisme?	*How do I get to the athletics track?*
Pour aller à l'hôtel?	*How do I get to the hotel?*
Pour aller aux courts de tennis?	*How do I get to the tennis courts?*
Pour aller aux toilettes?	*How do I get to the toilet?*
Allez tout droit.	*Go straight on.*
Tournez à droite.	*Turn right.*
Tournez à gauche.	*Turn left.*
Prenez la première rue à gauche.	*Take the first road on the left.*
Prenez la deuxième rue à droite.	*Take the second road on the right.*
Prenez la troisième rue à gauche.	*Take the third road on the left.*

Unité 3 (pages 108–109) *Qu'est-ce qu'il faut faire?*

Qu'est-ce qu'il faut faire?	*What must you do?*
Il faut manger des fruits et des légumes.	*You must eat fruit and vegetables.*
Il faut travailler dur.	*You must work hard.*
Il faut aller à la salle de fitness.	*You must go to the gym.*
Il faut être determiné(e).	*You must be determined.*
Il faut boire beaucoup d'eau.	*You must drink lots of water.*
Il faut dormir huit heures par nuit.	*You must sleep eight hours a night.*
Il ne faut pas consommer de drogue.	*You must not take drugs.*
Il ne faut pas fumer.	*You must not smoke.*
Sur la photo, il y a ...	*In the photo there is ...*
un(e) athlète.	*an athlete.*
un joueur de basket.	*a basketball player.*
Il est sur une piste d'athlétisme.	*He is on an athletics track.*
Elle est sur un terrain de basket.	*She is on a basketball court.*
Il porte ...	*He is wearing ...*
un short.	*shorts.*
un maillot de course.	*a running top.*
un maillot de basket.	*a basketball top.*
Il y a des spectateurs.	*There are spectators.*

Unité 4 (pages 110–111) *Vous allez bien?*

le bras	*arm*
le dos	*back*
le pied	*foot*
le ventre	*stomach*
la jambe	*leg*
la tête	*head*
l'oreille	*ear*
l'œil / les yeux	*eye / eyes*
Vous allez bien?	*Are you well?*
J'ai mal au bras.	*I have a sore arm.*
J'ai mal au dos.	*I have a sore back.*
J'ai mal au pied.	*I have a sore foot.*
J'ai mal au ventre.	*I have a sore stomach.*
J'ai mal à la jambe.	*I have a sore leg.*
J'ai mal à la tête.	*I have a sore head.*
J'ai mal à l'oreille.	*I have a sore ear.*
J'ai mal à l'œil.	*I have a sore eye.*
J'ai mal aux yeux.	*I have sore eyes.*
J'ai un rhume.	*I have a cold.*
J'ai de la fièvre.	*I have a temperature.*
Il faut rester au lit.	*You must stay in bed.*
Il faut utiliser une crème.	*You must use a cream.*
Il faut prendre des antidouleurs.	*You must take painkillers.*
Il faut boire beaucoup d'eau.	*You must drink lots of water.*

Unité 5 (pages 112–113) *Allez les futurs champions!*

Tu fais quel sport?	*What sport do you do?*
Je joue au foot.	*I play football.*
Je joue un match.	*I play a match.*
Je travaille dur.	*I work hard.*
Je suis membre d'une équipe locale.	*I am a member of a local team.*
Je suis membre d'un club local.	*I am a member of a local club.*
Je marque beaucoup de buts.	*I score lots of goals.*
Je gagne un match.	*I win a match.*
Qu'est-ce que tu fais tous les jours?	*What do you do every day?*
Je vais à la salle de fitness.	*I go to the gym.*
Je fais de la musculation.	*I do weight training.*
Qu'est-ce que tu as fait récemment?	*What did you do recently?*
J'ai joué en compétition.	*I played in a competition.*
J'ai marqué beaucoup de points.	*I scored lots of points.*
J'ai gagné une médaille aux J.O.	*I won a medal at the Olympic Games.*
Qu'est-ce que tu vas faire à l'avenir?	*What are you going to do in the future?*
Je vais marquer beaucoup d'essais.	*I am going to score lots of tries.*
Je vais jouer pour la France.	*I am going to play for France.*
Je vais être membre de l'équipe nationale.	*I am going to be a member of the national team.*
Je vais gagner la Coupe du Monde.	*I am going to win the World Cup.*

À toi A

1 Work out what these people did during the holidays. Copy out the sentences in French, and then translate them into English.

1. J'ai écouté de la musique
2. J'ai regardé des clips vidéo
3. J'ai fait une balade en bateau
4. J'ai visité le château et j'ai bu un coca
5. J'ai joué au tennis et j'ai pris des photos
6. J'ai visité un parc d'attractions et j'ai fait les manèges

Take care with spelling when copying out the sentences and don't forget the accents. There are three types of accent in exercise 1:

acute accent: **é**

grave accent: **è**

circumflex: **â**

2 Read the messages and copy and complete the holiday details in English.

1. Je suis allée en Espagne, avec mes parents.
Nous avons voyagé en voiture.
J'ai nagé dans la mer et j'ai mangé des glaces.
C'était très sympa. **Aisha**

2. Je suis allé aux États-Unis avec mon frère.
Nous avons voyagé en avion.
J'ai acheté des souvenirs et j'ai vu un spectacle.
C'était génial!
Noah

3. Je suis allée en Angleterre avec ma famille.
Nous avons voyagé en train.
J'ai visité des monuments et j'ai mangé au restaurant.
C'était un peu ennuyeux.
Léanne

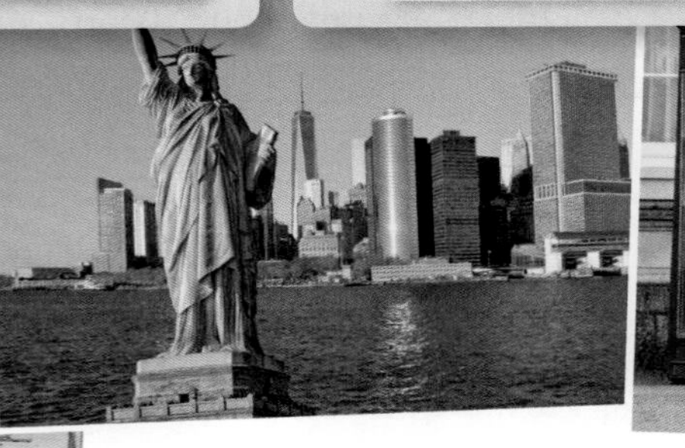

name: Aisha
country visited: Spain
who with:
transport:
holiday activities:
opinion:

3 Write messages like those in exercise 2, for Lucas and Clara. Use the ideas in the grid. If you need help with vocabulary, see pages 26–27.

Remember to add **–*e*** to the end of ***allé*** when writing about Clara – because she is female!

	Lucas	Clara
country visited		
who with		
transport		
holiday activities		
opinion		

À toi B

Read the text and find the six mistakes in the English translation. Copy it out correctly.

un chameau	*camel*

Pendant les vacances, je suis allé au Maroc, avec mes grands-parents. J'ai voyagé en avion et en car. D'abord, j'ai visité un château à la campagne. Puis j'ai visité le marché, mais je n'ai pas acheté de souvenirs. Finalement, j'ai fait une balade à dos de chameau dans le désert. C'était très intéressant!

During the holidays, I went to Morocco, with my parents. I travelled by plane and by car. First of all, I visited a castle in the mountains. Then I visited the market and I bought some souvenirs. Last of all, I went on a bike ride in the desert. It was quite interesting!

Read the holiday advert and the text. Then answer the questions.

Activités de vacances à l'île Maurice

- Nager avec des dauphins
- Faire une balade à cheval
- Jouer au golf
- Faire du kitesurf
- Faire un safari en Segway
- Visiter le parc à crocodiles

un cheval	*horse*
trop	*too*

Pendant les vacances, je suis allée à l'île Maurice avec ma famille. J'ai voyagé en avion.

D'abord, j'ai nagé dans la mer et j'ai vu des dauphins. C'était super!

Ensuite, j'ai joué au golf. Puis j'ai fait un safari en Segway et c'était amusant.

Après, j'ai fait une balade à cheval. Finalement, j'ai visité le parc à crocodiles et c'était très intéressant.

Je n'ai pas fait de kitesurf, parce que c'était trop difficile – et trop dangereux!

Amira

1. How did Amira travel to Mauritius?
2. Which creatures did she see while swimming?
3. Which activity does she say was fun?
4. Which activity did she do after the safari?
5. What was the last activity she did?
6. Which activity did Amira not do and why?

Write a description of a holiday in Madagascar, based on this advert. Adapt the text in exercise 2 and include some opinions.

Adverts often use verbs in the infinitive (e.g. ***jouer***, ***faire***, ***voir***, etc.). To describe what you did, change the infinitives into perfect tense verbs: ***j'ai joué*** *au beach-volley*, ***j'ai fait*** *du surf*, … (etc.).

Activités de vacances à Madagascar

★ Faire du surf
★ Faire de la plongée
★ Voir des lémuriens
★ Jouer au beach-volley
★ Manger des fruits de mer
★ Voir un spectacle de danse traditionnelle

À toi A

1 Look at the market stall and read the shopping lists. Work out the total cost of each person's shopping.

1
1 chou-fleur
1 kilo d'oignons
1/2 kilo de tomates

2
2 kilos d'oignons
1 kilo de pommes de terre
1/2 kilo de fromage

3
1/2 kilo de haricots verts
2 kilos de bananes
3 kilos de pommes

2 Write these shopping lists in French.

1
2 kg apples
3 kg potatoes
2 melons
6 slices ham

2
1/2 kg onions
1 kg tomatoes
10 eggs
1 kg cheese

Look back at page 36 for help with the vocabulary.

3 Read Cédric's plans for the first week of his Christmas holidays. Then match each day with the correct picture.

1	lundi	Je vais retrouver mes copains en ville.
2	mardi	Je vais faire une soirée pyjama.
3	mercredi	Je vais regarder le feu d'artifice.
4	jeudi	Je vais acheter des cadeaux pour ma famille.
5	vendredi	Je vais visiter le marché de Noël avec ma mère.
6	samedi	Je vais manger de la bûche de Noël.
7	dimanche	Je vais aller chez mes grands-parents.

a 

b 

c 

d 

e 

f 

g 

4 Use this diary to write about what you are going to do each day during the holidays. Then add three more days, using your own ideas.

Example: Lundi, je vais aller au marché.

Remember to use *je vais* + an **infinitive**.

À toi B

Lire 1 **Match each question with a possible answer.**

1 Quelle est la date de ton anniversaire?

2 Quelle est ta fête préférée?

3 Qu'est-ce que tu fais au carnaval?

4 La fête de la musique, c'est comment?

5 Qu'est-ce que tu vas manger pour le 14 juillet?

6 Qu'est-ce que tu vas faire à Noël?

a C'est très amusant.

b Je porte un masque et je regarde les fanfares.

c C'est le 19 avril.

d Je vais manger des moules-frites.

e Je vais aller chez mon oncle.

f Je préfère l'Aïd.

Écrire 2 **Write out six more possible answers to the questions in exercise 1 by changing the underlined words in sentences a–f.**

Lire 3 **Read the description and correct the six mistakes in the English translation.**

Samedi prochain, je vais aller à Bayonne en voiture avec mes parents. Je vais manger de la piperade. La piperade est une spécialité du sud-ouest de la France. Dans la piperade, il y a des œufs, des oignons et des tomates. C'est très savoureux et ce n'est pas difficile à faire.

Next Sunday, I am going to go to Bayonne by bus with my parents. I am going to eat piperade. Piperade is a speciality of the north-west of France. In piperade, there is olives, onions and tomatoes. It's quite tasty and it's hard to make.

La piperade

Écrire 4 **Translate this text into French, by adapting the French text in exercise 3.**

Next Monday, I am going to go to Paris by train with my parents. I am going to eat a croque-monsieur. It's a speciality of France. In a croque-monsieur, there is bread, ham and cheese. It's very good and it's not hard to make.

Un croquemonsieur

Remember, in French you must always include the word for 'some', even if it isn't used in English: *Il y a **du** pain, …*

À toi A

Copy out the sentences for Aïsha. Fill in the missing letters. For help, use the *Vocabulaire* on page 74. Then write down the programme types in English, from most to least popular.

1  J'aime les d◆s◆ins ◆nimés.

2  Je n'aime pas les je◆x tél◆vi◆és.

3  J'aime beaucoup les ◆n◆os.

4  J'adore les ◆missio◆s de spor◆.

5  Je déteste les émis◆ion◆ de cu◆sine.

Aïsha

Write a sentence about each of these TV programmes. Use as many different opinion expressions as possible (*J'aime beaucoup …, Je déteste …*, etc.).

Example: **1** Je n'aime pas les feuilletons.

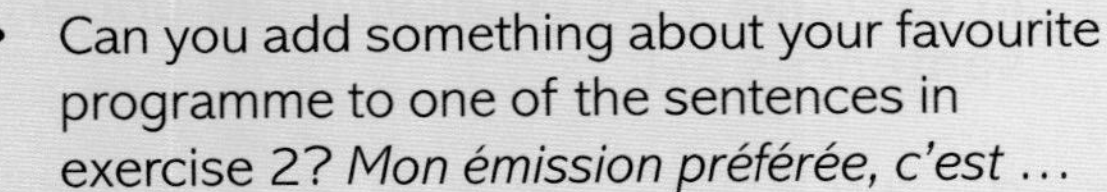

- Pay careful attention to spelling and don't forget accents!
  *une **é**mission de t**é**l**é**-r**é**alit**é***
- Can you add something about your favourite programme to one of the sentences in exercise 2? *Mon émission préférée, c'est …*

1 

2 

3 

4 

5 

Unjumble the questions and write them out correctly. Then write the letter of the correct answer to each one. For help, see page 56.

1 tu regardes est-ce que la télé? Quand
2 est-ce que Comment tu regardes la télé?
3 à la télé? tu regardes Qu' est-ce que
4 tu regardes est-ce que Avec qui la télé?
5 est-ce que Où la télé? tu regardes

a Je regarde la télé avec mes amis.
b Je regarde la télé à la maison.
c Je regarde la télé le weekend.
d Je regarde la télé sur ma tablette.
e Je regarde les comédies.

Write answers to the questions in exercise 3 for yourself.

À toi B

Read the text, then copy and complete the profile in English. Give as much detail as possible.

Je m'appelle Farid et j'habite en Tunisie. J'aime beaucoup faire du sport – je joue souvent au basket et je fais du vélo.

J'adore aussi le rap. Je télécharge des chansons sur mon portable et j'écoute de la musique dans le bus. En ce moment, j'écoute beaucoup la musique de Drake.

Je ne regarde pas souvent la télé mais parfois, je regarde des comédies sur Netflix.

Le weekend, je lis des BD ou je joue à des jeux vidéo avec mes amis. Je ne fais jamais les magasins parce que c'est nul!

name	Farid
lives in	
sports	
music (how? where? what?)	
television (how often? what?)	
weekend activities	
never	

Look at Marielle's profile and write a text for her. Adapt the text in exercise 1, changing the underlined words and phrases.

name	Marielle
lives in	France
sports	loves sport, plays hockey, goes cycling
music	downloads on to phone, listens at home, listens a lot to Stromae
television	doesn't watch often, sometimes watches cartoons on Netflix
weekend activities	chats online or goes shopping with friends
never	plays tennis – boring

Daisy's dog has chewed up her French homework! Help her copy it out in the correct order, then translate it into English.

Example: Samedi dernier, je suis allée au centre commercial. D'abord, j'ai …

Samedi dernier, je suis allée

coca. Puis j'ai fait une balade dans le

magasins. J'ai acheté une paire

de baskets. Ensuite, j'ai mangé

un film d'action. C'était génial!

parc. Après, je suis allée au cinéma. J'ai vu

au centre commercial. D'abord, j'ai fait les

une salade et j'ai bu un

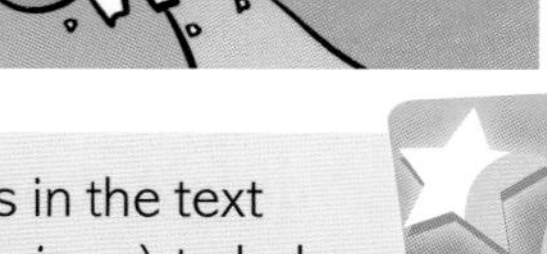

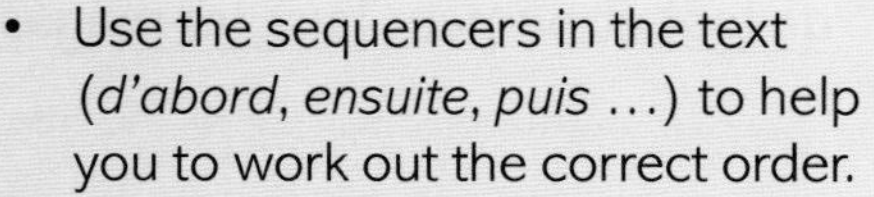

- Use the sequencers in the text (*d'abord*, *ensuite*, *puis* …) to help you to work out the correct order.
- Think about the meaning and look carefully at the final word on each line – which word could logically come next?

À toi A

1 Look at the chart and decide if each sentence is true or false.

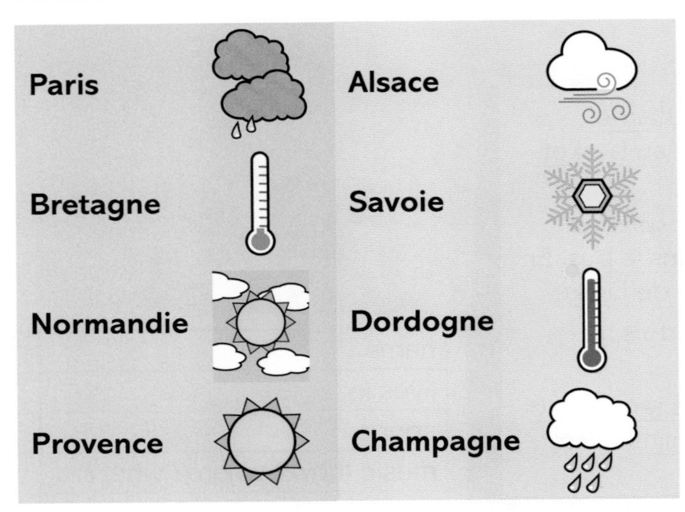

1 En Normandie, il fait beau.
2 En Bretagne, il fait chaud.
3 En Champagne, il pleut.
4 En Provence, il y a du soleil.
5 En Dordogne, il y a du vent.
6 À Paris, Il fait froid.
7 En Alsace, il fait mauvais.
8 En Savoie, il neige.

2 Use the chart to write six more true / false sentences about the weather. Swap with your partner and ask them to work out if your sentences are true or false.

3 Read the descriptions of four towns in French-speaking Canada. Note in English what you can do in each town.

1	Trois-Rivières	On peut faire les magasins et on peut visiter des monuments historiques.
2	Québec	On peut visiter la cathédrale et on peut manger de la poutine.
3	Montréal	On peut aller au festival international de jazz et on peut regarder un match de hockey sur glace.
4	Mont-Tremblant	On peut faire des randonnées en été et on peut faire du ski ou du snowboard en hiver.

4 Choose three towns near where you live. Write in French two things you can do in each town.

À Ipswich, on peut regarder un match de foot et on peut faire les magasins.

Poutine is a dish of chips topped with cheese curds and gravy.

À toi B

1 Match each photo with the correct description.

1 **La marmotte** habite à la montagne. Elle est petite et marron. Elle mange des plantes.
2 **Le sanglier** habite dans la forêt. Un sanglier typique pèse de 90 à 150 kilos. Il y a environ 2 millions de sangliers en France.
3 **Le lynx** ressemble à un gros chat. Il habite à la montagne. Il est classé « en danger d'extinction » en France.
4 **Le blaireau** est un animal nocturne. Il habite dans la forêt. Il est noir et blanc. Il mange des plantes et des animaux.
5 **Le chamois** habite à la montagne. Il change de couleur en hiver. Il gratte la neige pour manger l'herbe en hiver.

Focus on clues such as colour, size and habitat to help you narrow down the options and rule out certain animals.

2 Look again at exercise 1. Write in French the animal(s) which …

1 live in the forest. (2)
2 finds food by scratching in the snow.
3 is an endangered species.
4 eats plants and animals.
5 is very numerous in France.
6 live in the mountains. (3)
7 is small and brown.
8 changes colour in winter.

3 Read and copy out the text, choosing the correct word to fill each gap.

Je m'appelle Isabelle Inactive. Je me **1** à dix heures et demie. Puis je **2** le petit déjeuner. Je mange des **3** et je bois un **4**. Je me lave les **5** tous les weekends. Le soir, je **6** couche à huit heures. Je suis très **7**.

bonbons prends me inactive coca lève dents

4 You are Alain Actif. You get up early and are active, fit and healthy! Adapt the text in exercise 3 to write about your daily routine.

À toi A

Copy out the sentences correctly. Then translate them into English.

Example: 1 Dans ma ville, on peut jouer au …

1 Dans ma ville on peut jouer au foot et au basket
2 On peut faire du judo et de la musculation
3 Dans mon village on peut faire du vélo et du footing
4 On peut jouer au billard ou faire de l'équitation
5 On peut faire de la voile et nager dans la mer

Aim for accuracy! Be careful to spell words correctly and not miss out any letters.

Which two words have an ***acute*** accent (**é**) on them? Make sure it slopes the right way!

Write sentences about the sports you can do in these towns, using the ideas in the pictures.

Dans ma ville, on peut jouer ... / faire ...

a

b

Alex has created a graph showing his opinion of different sports. Look at the graph and read the sentences. Is each sentence true (T) or false (F)?

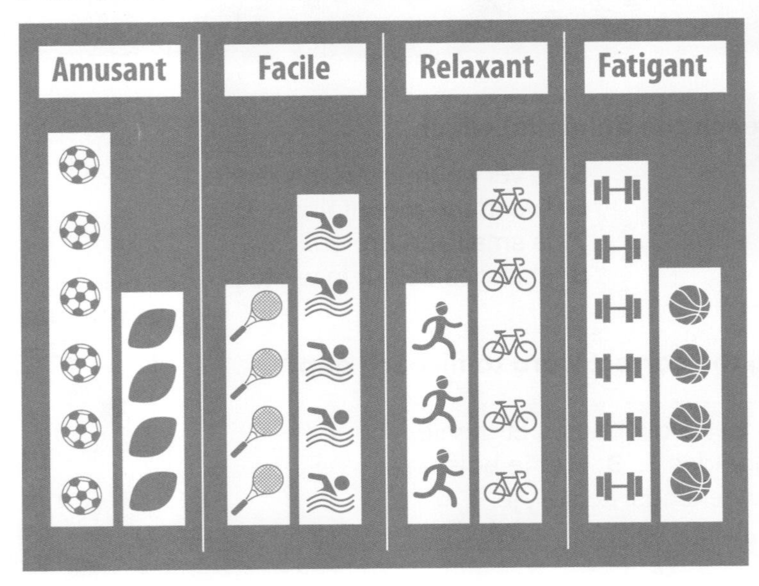

1 Je trouve le football plus amusant que le rugby.
2 Je trouve le tennis plus facile que la natation.
3 Je trouve le footing plus relaxant que le vélo.
4 Je trouve la musculation plus fatigante que le basket.

Write four sentences like those in exercise 3, comparing different sports.

Remember, the adjective must agree with the first noun in the sentence.

- If the first noun is **feminine**, add **–e** to adjectives ending in *–t*.
  *Je trouve **la** natation plus amusant**e** que le tennis.*

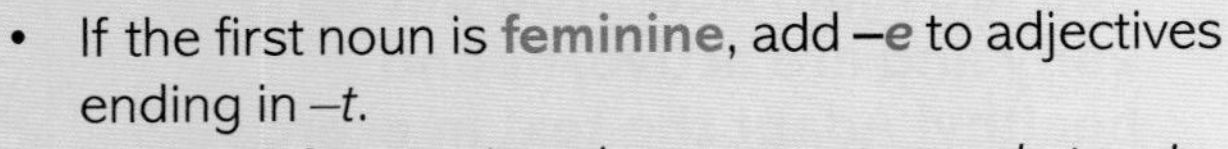

- To check the gender of sports, go to the *Glossaire*.

À toi B

Read the questions and directions. Match each conversation with the correct map (a–c). Then write a question and directions in French to go with map d.

Pour aller au stade?

Allez tout droit, puis prenez la deuxième rue à droite.

Pour aller à la piscine?

Prenez la première rue à gauche et allez tout droit.

Pour aller aux courts de tennis?

Prenez la première rue à droite, puis tournez à gauche.

a 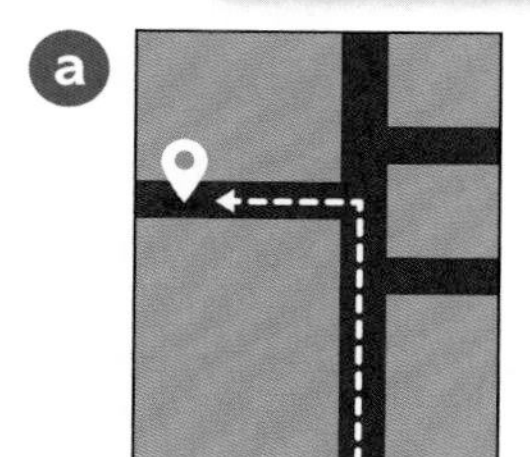

b 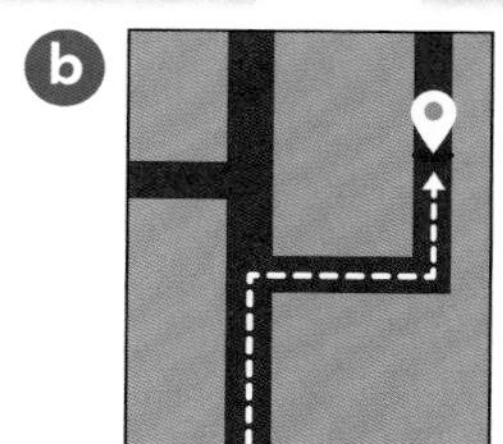

c 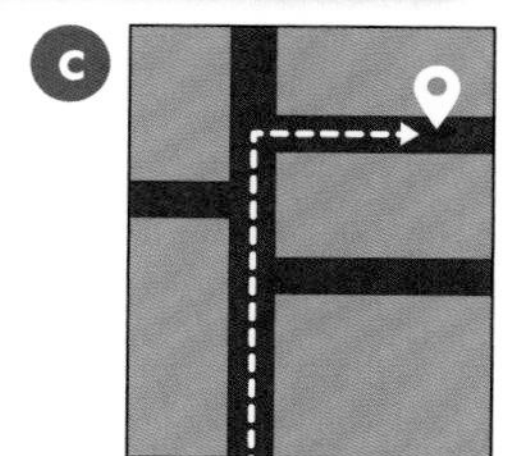

d 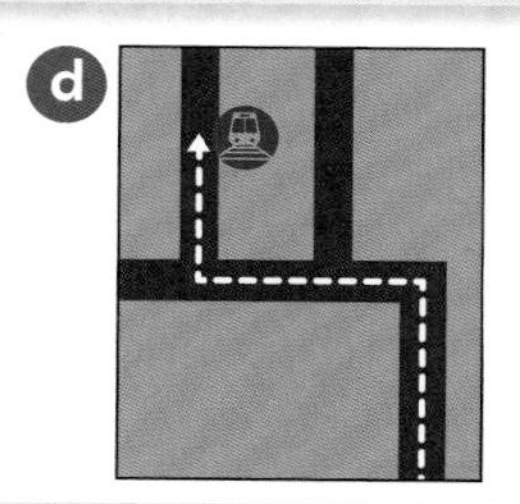

Read Clément Catastrophe's blog. Copy and complete the grid in English.

Which two words have a ***grave*** accent (**è**) on them? Make sure it slopes the right way!

Lundi
Normalement, le lundi, je fais de la musculation à la salle de fitness, mais aujourd'hui, j'ai mal au dos et au bras.

Mardi
Normalement, le mardi, je joue au foot dans le parc, mais en ce moment je ne peux pas parce que j'ai mal à la jambe et au pied. Je vais prendre des antidouleurs.

Mercredi
Normalement, le mercredi, je fais de la natation, mais aujourd'hui j'ai de la fièvre et j'ai mal à la tête. Je vais boire beaucoup d'eau.

Jeudi
Normalement, le jeudi, je joue au volleyball au centre sportif, mais en ce moment je ne peux pas parce que j'ai très mal au ventre!

Vendredi
Normalement, le vendredi, je fais de l'athlétisme au stade, mais aujourd'hui j'ai un rhume et j'ai de la fièvre. Je vais rester au lit!

Quel désastre!

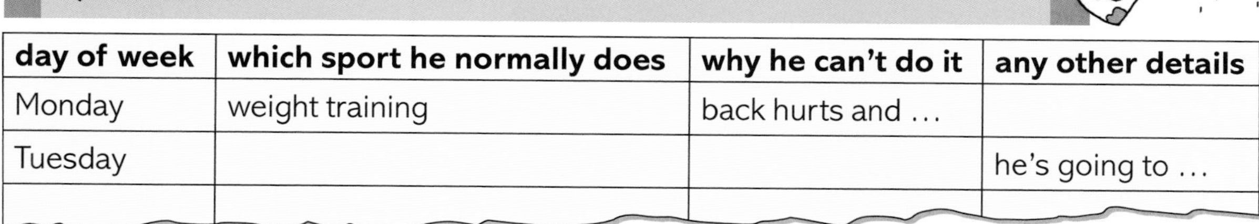

day of week	which sport he normally does	why he can't do it	any other details
Monday	weight training	back hurts and …	
Tuesday			he's going to …

Write about which sport Clément Catastrophe normally does on Saturday and Sunday and why he can't do it. Adapt the text from exercise 2 and use your imagination!

Do you need *J'ai mal au / à la / à l'* or *aux* with each part of the body? Look back at Unit 4 (pages 110–111).

Samedi: Normalement, je joue / je fais …, mais aujourd'hui je ne peux pas parce que j'ai …
Dimanche: Normalement, …

Les verbes

Infinitives

Regular –*er* verb infinitives

acheter	*to buy*	habiter	*to live*	regarder	*to watch*
adorer	*to love*	jouer	*to play*	rester	*to stay (remain)*
aider	*to help*	laver	*to wash*	retrouver	*to meet*
aimer	*to like*	manger	*to eat*	rigoler	*to laugh/joke*
bloguer	*to blog*	marquer	*to score (goal)*	surfer	*to surf*
chanter	*to sing*	nager	*to swim*	tchatter	*to chat (online)*
consommer	*to consume (take)*	partager	*to share*	télécharger	*to download*
danser	*to dance*	participer (à)	*to participate (in)*	tourner	*to turn*
déménager	*to move (house)*	passer	*to spend (time)*	traîner	*to hang around*
détester	*to hate*	préférer	*to prefer*	travailler	*to work*
écouter	*to listen (to)*	préparer	*to prepare*	trouver	*to find*
fumer	*to smoke*	porter	*to wear*	visiter	*to visit*
gagner	*to win*	ranger	*to tidy*	voyager	*to travel*
garder	*to look after*	rapporter	*to bring back*		

Regular –*ir* verb infinitives

choisir	*to choose*	nourrir	*to feed*
finir	*to finish*	vomir	*to vomit*

Regular –*re* verb infinitives

attendre	*to wait (for)*	perdre	*to lose*	vendre	*to sell*

Modal verb infinitives (irregular)

vouloir	*to want (to)*	pouvoir	*can / to be able to*	devoir	*must / to have to*

Reflexive verb infinitives

s'appeler	*to be called*	se doucher	*to shower*	se laver	*to have a wash*
se coiffer	*to do (your) hair*	s'habiller	*to get dressed*	se lever	*to get up*
se coucher	*to go to bed*				

Irregular verb infinitives

aller	*to go*	être	*to be*	prendre	*to take*
avoir	*to have*	faire	*to do*	venir	*to come*
boire	*to drink*	lire	*to read*	voir	*to see*
dormir	*to sleep*				

Structures using infinitives

In French there are a number of verbs which are usually followed by an infinitive, e.g. *regarder* (to watch).

Verbs of opinion + infinitives

aimer (*to like*)
j'**aime** regarder
tu **aimes** regarder
il/elle/on **aime** regarder
nous **aimons** regarder
vous **aimez** regarder
ils/elles **aiment** regarder

adorer (*to love*)
j'**adore** regarder
tu **adores** regarder
il/elle/on **adore** regarder
nous **adorons** regarder
vous **adorez** regarder
ils/elles **adorent** regarder

détester (*to hate*)
je **déteste** regarder
tu **détestes** regarder
il/elle/on **déteste** regarder
nous **détestons** regarder
vous **détestez** regarder
ils/elles **détestent** regarder

Modal verbs + infinitives

vouloir (*to want to*)
je **veux** regarder
tu **veux** regarder
il/elle/on **veut** regarder
nous **voulons** regarder
vous **voulez** regarder
ils/elles **veulent** regarder

pouvoir (*to be able to*)
je **peux** regarder
tu **peux** regarder
il/elle/on **peut** regarder
nous **pouvons** regarder
vous **pouvez** regarder
ils/elles **peuvent** regarder

devoir (*to have to*)
je **dois** regarder
tu **dois** regarder
il/elle/on **doit** regarder
nous **devons** regarder
vous **devez** regarder
ils/elles **doivent** regarder

The near future + infinitive

In order to say what you 'are going to do', use the present tense of ***aller*** (to go) + infinitive. *Aller* changes depending on who you are talking about, but the infinitive always stays the same.

regarder – *to watch*	
je **vais** regarder	*I'm **going** to watch*
tu **vas** regarder	*you **are going** to watch*
il/elle **va** regarder	*he/she **is going** to watch*
on **va** regarder	*we **are going** to watch*
nous **allons** regarder	*we **are going** to watch*
vous **allez** regarder	*you **are going** to watch* (plural or polite)
ils/elles **vont** regarder	*they **are going** to watch*

Les verbes

The present tense regular verb patterns

Regular –*er* verbs

regarder – ***to watch***
je regard**e**
tu regard**es**
il/elle/on regard**e**
nous regard**ons**
vous regard**ez**
ils/elles regard**ent**

Regular –*ir* verbs

finir – ***to finish***
je fin**is**
tu fin**is**
il/elle/on fin**it**
nous fin**issons**
vous fin**issez**
ils/elles fin**issent**

Regular –*re* verbs

attendre – ***to wait (for)***
j'attend**s**
tu attend**s**
il/elle/on attend
nous attend**ons**
vous attend**ez**
ils/elles attend**ent**

Reflexive verbs

Reflexive verbs have a **reflexive pronoun**. It is used to show that an action happens to 'myself', 'yourself', 'himself', 'herself' etc. (e.g. 'I wash **myself**').

se laver – ***to have a wash***	
je **me** lave	*I have a wash*
tu **te** laves	*you have a wash*
il/elle **se** lave	*he/she has a wash*
on **se** lave	*we have a wash*
nous **nous** lavons	*we have a wash*
vous **vous** lavez	*you have a wash* (plural or polite)
ils/elles **se** lavent	*they have a wash*

The perfect tense

The perfect tense is used to say what you did or have done, e.g. 'I went to France', 'I have been to France'.

Verbs with *avoir*

To form the perfect tense, most verbs need the present tense of ***avoir*** (to have) and a **past participle**.

e.g. *regard**er** – regard**é** (watched)* *chois**ir** – chois**i** (chose)* *perd**re** – perd**u** (lost)*

regarder (*to watch*)
j'**ai** regardé
tu **as** regardé
il/elle/on **a** regardé
nous **avons** regardé
vous **avez** regardé
ils/elles **ont** regardé

choisir (*to choose*)
j'**ai** choisi
tu **as** choisi
il/elle/on **a** choisi
nous **avons** choisi
vous **avez** choisi
ils/elles **ont** choisi

perdre (*to lose*)
j'**ai** perdu
tu **as** perdu
il/elle/on **a** perdu
nous **avons** perdu
vous **avez** perdu
ils/elles **ont** perdu

Verbs with *être* (perfect tense)

Some verbs use **être** (rather than *avoir*) to form the perfect tense. The past participles of these verbs must agree with the subject.

aller (*to go*)
je **suis** allé(e)
tu **es** allé(e)
il **est** allé/elle **est** allée
on **est** allé(e)s
nous **sommes** allé(e)s
vous **êtes** allé(e)s
ils **sont** allés elles **sont** allées

Irregular verbs in the present and perfect tenses

Infinitive	Present tense				Perfect tense
aller – *to go*	je tu il/elle/on	**vais** **vas** **va**	nous vous ils/elles	**allons** **allez** **vont**	je **suis** allé(e)
avoir – *to have*	j' tu il/elle/on	**ai** **as** **a**	nous vous ils/elles	**avons** **avez** **ont**	j'**ai** eu
boire – *to drink*	je tu il/elle/on	**bois** **bois** **boit**	nous vous ils/elles	**buvons** **buvez** **boivent**	j'**ai** bu
être – *to be*	je tu il/elle/on	**suis** **es** **est**	nous vous ils/elles	**sommes** **êtes** **sont**	j'**ai** été
faire – *to do/make*	je tu il/elle/on	**fais** **fais** **fait**	nous vous ils/elles	**faisons** **faites** **font**	j'**ai** fait
lire – *to read*	je tu il/elle/on	**lis** **lis** **lit**	nous vous ils/elles	**lisons** **lisez** **lisent**	j'**ai** lu
partir – *to leave*	je tu il/elle/on	**pars** **pars** **part**	nous vous ils/elles	**partons** **partez** **partent**	je **suis** parti(e)
prendre – *to take*	je tu il/elle/on	**prends** **prends** **prend**	nous vous ils/elles	**prenons** **prenez** **prennent**	j'**ai** pris
venir – *to come*	je tu il/elle/on	**viens** **viens** **vient**	nous vous ils/elles	**venons** **venez** **viennent**	je **suis** venu(e)
voir – *to see*	je tu il/elle/on	**vois** **vois** **voit**	nous vous ils/elles	**voyons** **voyez** **voient**	j'**ai** vu

Glossaire

A

à plus *see you later*
l' accès *access*
l' acteur *actor*
l' activité *activity*
l' actrice *actress*
l' ado *teenager, adolescent*
adorer *to love*
l' Afrique *Africa*
l' ail *garlic*
aimer *to like*
l' alcool *alcohol*
l' Allemagne *Germany*
alpin(e) *Alpine*
l' ambassadeur *ambassador* (m)
l' ambassadrice *ambassador* (f)
américain(e) *American*
l' Amérique du Nord *North America*
l' Amérique du Sud *South America*
l' ami *friend* (m)
l' amie *friend* (f)
l' Angleterre *England*
l' animal *animal*
animé(e) *lively*
l' année *year*
l' annonce *advert*
l' Antarctique *Antarctica*
août *August*
les apprentis aventuriers *apprentice explorers*
l' argent *silver*
arrogant(e) *arrogant*
artificiel(le) *artificial*
l' Asie *Asia*
assez *quite*
l' astronaute *astronaut* (m/f)
l' athlète *athlete* (m/f)
l' athlétisme athletics
attendre *to wait (for)*
au revoir *goodbye*
aujourd'hui *today*
l' aurore polaire *polar lights*
aussi *also, too, as well*
autre *other*
l' avenir *future*
l' aventure *adventure*
l' aviateur *aviator, pilot* (m)
l' aviatrice *aviator, pilot* (f)
l' avion *aeroplane*
l' avis *opinion*
avril *April*
azur(e) *azure*

B

la balade *walk, ride*
la balade en bateau *boat ride*
la bande dessinée *comic book*
le basket *basketball*
le bateau *boat*
le bâtiment *building*
beau (belle) *beautiful*
beaucoup de *lots of*
le bébé *baby*
bien *well, good*
bien sûr *of course*
bienvenue *welcome*
le bifteck *(beef) steak*
le billet *ticket*
le billard *snooker*
bio *organic*
bizarre *strange, odd*
le blaireau *badger*
bleu(e) *blue*
bloguer *to blog*
le bol *bowl*
bon (bonne) *good*
le bonbon *sweet*
Bonne année! *Happy New Year!*
le bord de la mer *seaside*
la bouillabaisse *fish stew*
la boule de Noël *Christmas bauble*
la boxe *boxing*
le Brésil *Brazil*
la Bretagne *Brittany*
briller *to shine*
brûler *to burn*
la bûche *log*
le bureau *office*

C

le café *café; coffee*
le cahier *exercise book*
calculer *to calculate*
le calendrier *calendar*
calme *peaceful*
la campagne *country, countryside*
le capitaine *captain*
le carnaval *carnival*
la carotte *carrot*
la carte *card; map*
la casquette *cap*
casser *to break*
célèbre *famous*

la **célébrité** *celebrity (m/f)*
cent *one hundred*
le **centre commercial** *shopping centre*
les **céréales** *cereal*
la **chambre** *bedroom*
le **chameau** *camel*
le **chamois** *chamois (type of goat-antelope)*
le **championnat** *championship*
le **champ** *field*
changer *to change*
la **chanson** *song*
chaque *each, every*
le **cheval** *horse*
le **chien** *dog*
la **Chine** *China*
chinois *Chinese*
le **chocolat** *chocolate*
choisir *to choose*
la **choucroute** *sauerkraut*
clair(e) *clear, light*
la **colonie de vacances** *holiday camp*
la **comédie** *comedy*
comme *as, like*
complètement *completely*
compliqué(e) *complicated*
le **concours** *competition, contest*
le **concours de talents** *talent contest*
la **confiture** *jam*
connu(e) pour *known for*
consommer *to consume, to take*
construire *to build*
le **copain** *friend* (m)
la **copine** *friend* (f)
la **coquille** *(sea)shell*
le **corps** *body*
corriger *to correct*
coucou! *hey there!*
la **couleur** *colour*
courir *to run*
le **couscous** *couscous (semolina grains)*
coûter *to cost*
créer *to create*
créole *Creole*
le **croquemonsieur** *croque-monsieur (ham and cheese toastie)*
la **cuisine** *kitchen; cooking*
cultiver *to grow*
le **cyclisme** *cycling*

D

d'accord *all right, in agreement*
d'habitude *usually*
dangereux(-se) *dangerous*
dans *in*
danser *to danse*
le **dauphin** *dolphin*
décembre *December*
décider *to decide*
décorer *to decorate*
le **degré** *degree (temperature)*
déménager *to move house*
la **demi-finale** *semi-final*
la **dentelle** *lace*
dernier(-ière) *last*
le **désastre** *disaster*
désastreux(-se) *disastrous*
le **désert** *desert*
désolé(e) *sorry*
le **dessin animé** *cartoon*
déterminé(e) *determined*
détester *to hate*
les **devoirs** *homework*
différent(e) *different*
difficile *difficult*
le **dimanche** *Sunday*
la **diversité** *diversity*
le **dos** *back*
le **dragon** *dragon*
la **drogue** *drug, drugs*
drôle *funny*
dur *hard*

E

l' **eau** *water*
les **échecs** *chess*
l' **éclair** *eclair*
l' écrivain(e) *writer, author*
l' **église** *church*
l' **éléphant** *elephant*
l' **émission** *programme*
en ce moment *at the moment*
en colo *at a holiday camp*
en général *in general*
en gras *in bold*
en ligne *online*
en vacances *on holiday*
l' enfant *child*
l' **engrenage** *spiral*
énorme *enormous*
enregistrer *to record*
l' **envie** *desire, wish*
l' **environnement** *environment*
l' **équipe** *team*
l' **essai** *try*

Glossaire

les États-Unis *United States*
l' été *summer*
être d'accord *to agree*
explorer *to explore*
extraordinaire *extraordinary*
extrêmement *extremely*

F

fabuleux(-se) *fabulous*
facile *easy*
fantastique *fantastic*
le fantôme *ghost*
fatigué(e) *tired*
faux (fausse) *wrong*
fermer *to close*
la fête des Mères *Mother's Day*
la fête nationale *national holiday*
fêter *to celebrate*
le feu *fire*
le feu d'artifice *fireworks*
le feuilleton *soap opera*
février *February*
la fièvre *fever*
la fin *end*
finir *to finish*
flottant(e) *floating*
le foot(ball) *football*
le footing *jogging*
la forêt *forest*
frais (fraîche) *fresh*
français(e) *French* (adj)
francophone *French-speaking*
les frites *chips*
le fromage blanc *fromage blanc (soft white cheese)*
les fruits de mer *seafood*
fumer *to smoke*

G

gagner *to win, to earn*
garder *to look after, to keep*
le gâteau *cake*
généreux(-se) *generous*
Genève *Geneva*
les gens *people*
la géographie *geography*
le gingembre *ginger*
la glace *ice cream*
le golf *golf*
la Grande-Bretagne *Great Britain*
grandir *to grow*
la grand-mère *grand-mother*
les grands-parents *grand-parents*
le grand-père *grandfather*
le graphique *graph, chart*
gris *grey*
la grotte *cave*
la gymnastique *gymnastics*

H

habiter *to live*
le hamburger-frites *burger and chips*
le handball *handball*
handicapé(e) *disabled*
le handisport *parasports*
haut(e) *high*
l' heure *hour, time*
hier *yesterday*
l' histoire *history*
l' hiver *winter*
l' horreur *horror*
l' huile d'olive *olive oil*
huit *eight*

I

idéal(e) *ideal*
l' île *island*
l' île Maurice *Mauritius*
incroyable *unbelievable*
les infos *news programme*
l' ingénieur *engineer*
intéressant(e) *interesting*
l' inventeur *inventor*
l' Italie *Italy*

J

le jambon *ham*
janvier *January*
le jardin *garden*
le jardin public *park*
jaune *yellow*
le jet d'eau *water jet*
le jeu télévisé *gameshow*
le jeudi *Thursday*
joli(e) *pretty*
le joueur *player* (m)
la joueuse *player* (f)
le jour *day*
le jour de Noël *Christmas Day*
joyeux(-se) *happy*
le judo *judo*
juillet *July*

juin *June*
le jus d'orange *orange juice*
jusqu'à *until*
juste *fair*

K

le kilomètre *kilometre*

L

le lac *lake*
la lampe *lamp*
le lapin *rabbit*
le légume *vegetable*
le lémurien *lemur*
la lessive *washing, laundry*
le Liban *Lebanon*
la ligue *league*
la limonade *lemonade*
la liste *list*
le livre *book*
les loisirs *leisure time*
la lumière *light*
le lundi *Monday*

M

madame *madam*
le magasin *shop*
magique *magic, magical*
mai *May*
le maillot de course/de basket *running/basketball vest*
maintenant *now*
la maison *house*
le malheur *misfortune*
la Manche *English Channel*
le manège *roundabout, carousel, ride*
manquer *to miss, to be missing*
le marché *market*
le mardi *Tuesday*
le mardi gras *Shrove Tuesday*
marié(e) *married*
la marmotte *marmot, groundhog*
le Maroc *Morocco*
marrant(e) *funny*
mars *March*
mauvais(e) *bad*
la médaille *medal*
meilleur(e) *best*
la mémoire *memory*
la mer *sea*
la mer Méditerranée *Mediterranean Sea*
merci *thank you*
le mercredi *Wednesday*
la mère *mother*
merveilleux(-se) *marvellous*
mesdames et messieurs *ladies and gentlemen*
mesurer *to measure*
midi *midday*
le miel *honey*
un millier *one thousand*
minuit *midnight*
modeste *modest*
monsieur *sir*
la montagne *mountain*
motivé(e) *motivated*
murmurer *to murmur, to whisper*
la musculation *weight training*
musulman(e) *Muslim*
mystérieux(-se) *mysterious*

N

nager *to swim*
le nageur *swimmer* (m)
la nageuse *swimmer* (f)
la natation *swimming*
le neveu *nephew*
niçois(e) *from Nice*
la nièce *niece*
noir(e) *black*
nourrir *to feed*
novembre *November*
la nuit *night*
nul(le) *rubbish*
numérique *digital*

l' Océanie *Oceania*
octobre *October*
l' œil *eye*
oh là là! *oh my gosh!*
l' oiseau *bird*
optimiste *optimistic*
l' or *gold*
orange *orange*
l' orange *orange*
oublier *to forget*

Glossaire

P

le pain *bread*
la paire *pair, couple*
le papier *paper*
le parc aux animaux *animal park*
le parc d'attractions *theme park*
parfait(e) *perfect*
parfois *sometimes*
parisien(-ne) *Parisian*
parler *to speak*
le passeport *passport*
passer *to spend (time)*
passionnant *exciting*
la pâte *pastry*
le pâté *pâté*
le pâtissier *pastry chef* (m)
le pays *country*
pêcher *to fish*
penser *to think*
le père *father*
perso *personally*
le personnage *character* (m/f)
la personne *person* (m/f)
un peu (de) *a (little) bit (of)*
peut-être *perhaps*
le pique-nique *picnic*
la piscine *swimming pool*
la piste *track*
la piste de ski *ski slope*
la place *(town) square*
la plage *beach*
le plastique *plastic*
la plongée *diving*
la plongée sous-marine *deep-sea diving*
la pluie *rain*
le pois chiche *chickpea*
le poisson *fish*
polluer *to pollute*
le porte-monnaie *purse*
positif(-ve) *positive*
pour cent *percent*
préféré(e) *preferred, favourite*
préférer *to prefer*
premier(-ière) *first*
le prénom *first name*
le printemps *spring*
le prix *price*
le/la professeur *teacher*
professionnel(le) *professional*
la promenade *walk*
protéger *to protect*

Q

québécois(e) *from Quebec*
quel désastre! *what a disaster!*
quelle horreur! *how awful!*
quelquefois *sometimes*

R

la randonnée *hike, walk*
ranger *to tidy*
rapide *quick*
rapidement *quickly*
rater *to miss*
récemment *recently*
la recette *recipe*
réel(le) *real*
le/la réfugié(e) *refugee*
relax *relaxed*
le rendez-vous *meeting, appointment*
répéter *to repeat*
répondre *to answer*
rester *to stay*
le/la Réunionnais(e) *person from Reunion Island*
rigoler *to have a laugh*
rimer *to rhyme*
la rivière *river*
rouge *red*
la rue *street*
le rugby *rugby*

S

le sac *bag*
la saison *season*
la salle à manger *dining room*
la salle de bains *bathroom*
la salle de fitness *gym*
le samedi *Saturday*
le sandwich *sandwich*
le sanglier *boar*
sans *without*
le saut en longueur *long jump*

la **Savoie** *Savoy*
le/la scientifique *scientist*
se calmer *to calm down*
se relaxer *to relax*
se reposer *to rest*
sec (sèche) *dry*
le **Sénégal** *Senegal*
septembre *September*
la **série** *series*
la **série policière** *crime series*
sérieux(-se) *serious*
le **ski** *skiing*
le **ski nautique** *water skiing*
la **sœur** *sister*
le **soleil** *sun*
sombre *dark*
le **sondage** *survey*
la **sorcière** *witch*
souligné(e) underlined
la **soupe** *soup*
souvent *often*
le **spectacle** *show*
spectaculaire *spectacular*
les **spectateurs** *spectators*
sportif(-ive) *sporty*
le **stade** *stadium*
stressé(e) *stressed*
le **sucre** *sugar*
la **sucrerie** *sweets, candy*
la **Suisse** *Switzerland*
le **sujet** *subject*
surfer *to surf (online)*
le **symbolisme** *symbolism*
sympa *nice*

T

le **tableau** *painting; table, chart*
la **tarte** *tart*
tchatter *to chat (online)*
le **tee-shirt** *tee-shirt*
télécharger *to download*
la **température** *temperature*
le **tennis (de table)** *(table) tennis*
le **terrain de basket** *basketball court*
le **terrain de football** *football pitch*
terrifiant(e) *terrifying*
le **théâtre** *theatre*
le **tigre** *tiger*
toi *you*
top *great*
toucher *to touch*
toujours *always, still*
le **tour** *turn, tour*
le/la **touriste** *tourist*
touristique *tourist* (adj)
tourner *to turn*
la **Toussaint** *All Saints' Day*
tout le temps *all the time*
traditionnel(le) *traditional*
la **tranche** *slice*
tranquille *peaceful*
transmettre *to deliver, to pass on*
le **travail** *work*
travailler *to work*
traverser *to cross*
très *very*
trop *too*
trouver *to find*
la **Tunisie** *Tunisia*

V

la **vaisselle** *washing-up*
le **vélo** *bicycle*
vendre *to sell*
le **vendredi** *Friday*
vert(e) *green*
les **vêtements** *clothes*
la **ville** *town*
le **vin** *wine*
violet(te) *purple*
la **visite** *visit*
visiter *to visit*
le **visiteur** *visitor* (m)
la **voile** *sailing*
voir *to see*
la **voiture** *car*
le **volley(ball)** *volleyball*
vomir *to vomit, to be sick*
vraiment *really*

Instructions

Adapte (les phrases / le texte) …	*Adapt (the sentences / the text) …*
Associe (les phrases et les images) …	*Match (the sentences and the pictures) …*
Change les détails soulignés …	*Change the underlined details …*
Choisis (la bonne réponse / un acteur ou une actrice / la photo) …	*Choose (the right response / an actor or an actress / the photo) …*
Complète le diagramme …	*Complete the diagram …*
Copie et complète (le tableau / les phrases).	*Copy and complete (the table / the sentences).*
Copie et traduis …	*Copy and translate …*
Décris …	*Describe …*
Écoute (encore une fois) et vérifie.	*Listen (again) and check.*
Décide si chaque réponse est correcte (✓) ou fausse (✗).	*Decide if each response is correct (✓) or incorrect (✗).*
Dis … en français.	*Say … in French.*
Écoute et note la bonne lettre.	*Listen and note the correct letter.*
Écoute et lis …	*Listen and read …*
Écoute l'interview et réponds aux questions.	*Listen to the interview and answer the questions.*
Écris cinq phrases …	*Write five sentences …*
Écris (la bonne lettre / le bon prénom / des notes).	*Write (the right letter / the right name / some notes).*
En groupe.	*In a group.*
En tandem.	*In pairs.*
Fais une conversation (avec ton/ta camarade).	*Make a conversation (with your partner).*
Fais un sondage. Pose quatre questions à tes camarades.	*Do a survey. Ask your classmates four questions.*
Interviewe ton/ta camarade.	*Interview your classmate.*
Jeu de mémoire.	*Memory game.*
Jeu de rôle.	*Role play.*
Identifie la bonne photo.	*Identify the correct photo.*
Lis … à haute voix.	*Read … out loud.*
Lis et complète … avec les mots de la case.	*Read and complete … with the words in the box.*
Lis le texte et réponds aux questions (en anglais).	*Read the text and answer the questions (in English).*
Lis les questions et les réponses et trouve les paires.	*Read the questions and answers and find the pairs.*
Mets … dans le bon ordre.	*Put … in the right order.*
Parle de …	*Speak about …*
Prépare et répète les deux conversations.	*Prepare and repeat the two conversations.*
Puis écoute et réponds.	*Then listen and answer.*
Puis écoute et vérifie.	*Then listen and check.*
Qu'est-ce qu'il y a sur la photo?	*What is in the photo?*
Regarde la photo / l'image et prépare tes réponses aux questions.	*Look at the photo / the image and prepare your answers to the questions.*
Relis …	*Re-read …*
Réponds aux questions en anglais.	*Answer the questions in English.*
Traduis le texte / ces phrases en français.	*Translate the text / these sentences into French.*
Traduis en anglais / français …	*Translate into English / French …*
Trouve la bonne fin pour chaque phrase.	*Find the correct ending for each sentence.*
Trouve les paires / les verbes / les phrases.	*Find the pairs / the verbs / the sentences.*
Utilise les images	*Use the images.*
Vrai ou faux?	*True or false?*